15 口絵 * P.34 / 作り方 * P.81
肩ひも結びエプロン

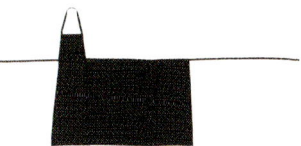

16 口絵 * P.36 / 作り方 * P.82
ラップロングエプロン

17 口絵 * P.40 / 作り方 * P.83
スモックブラウス

18 口絵 * P.42 / 作り方 * P.84
サロンエプロン

19 口絵 * P.44 / 作り方 * P.85
フリル袖ワンピース

20 口絵 * P.46 / 作り方 * P.86
Tラインワンピース

21 口絵 * P.48 / 作り方 * P.87
ミニエプロンつきジャンスカエプロン

22 口絵 * P.50 / 作り方 * P.88
ブラックエプロン

23 口絵 * P.52 / 作り方 * P.90
ラッピングチュニック

24 口絵 * P.54 / 作り方 * P.89
ラッピングワンピース

25 口絵 * P.56 / 作り方 * P.92
ブラックサロンエプロン

26 口絵 * P.58 / 作り方 * P.93
まっすぐチュニック

27 口絵 * P.60 / 作り方 * P.94
Tラインワンピース

28 口絵 * P.62 / 作り方 * P.95
ギャザーチュニック

how to make * P.64
作りはじめる前に

- **a.** ダブルガーゼ
- **b.** コットンリネンウール
- **c.** コットンリネン
- **d.** コットンブロード
- **e.** コットンレーヨン
- **f.** ポリエステルジョーゼット
- **g.** リネンウール
- **h.** コットンウール
- **i.** ジャージー
- **j.** コットンリネン
- **k.** キュプラ
- **l.** コットンリネン

ここで紹介する布は、この本で使用したほんの一例です。
コットン、リネン、ウール、ポリエステルなど、ふつうの服と同じように、自由に布を選びました。

月居良子の
かんたん、かわいい
まっすぐソーイング

エプロン &
エプロンドレス

高橋書店

contents

1 口絵 ✳ P.06
作り方 ✳ P.65
ギャルソンエプロン

2 口絵 ✳ P.08
作り方 ✳ P.66
サークルエプロン

3 口絵 ✳ P.10
作り方 ✳ P.67
スモックエプロン

4 口絵 ✳ P.12
作り方 ✳ P.68
Tラインワンピース

5 口絵 ✳ P.14
作り方 ✳ P.69
ジャンスカエプロン

6 口絵 ✳ P.16
作り方 ✳ P.70
2ウェイエプロン

7 口絵 ✳ P.18
作り方 ✳ P.72
まっすぐエプロンドレス

8 口絵 ✳ P.20
作り方 ✳ P.73
筒形ジャンスカ

9 口絵 ✳ P.22
作り方 ✳ P.74
フレンチスリーブワンピース

10 口絵 ✳ P.24
作り方 ✳ P.76
パッチワークエプロン

11 口絵 ✳ P.26
作り方 ✳ P.75
かっぽう着エプロン

12 口絵 ✳ P.28
作り方 ✳ P.78
バイカラーエプロンドレス

13 口絵 ✳ P.30
作り方 ✳ P.79
ジャンスカエプロン

14 口絵 ✳ P.32
作り方 ✳ P.80
スモックエプロン

まっすぐで簡単、作るのも着るのもラクなエプロンと、ワンピースにもなるエプロンドレスを作りました。服の上にサッとかぶって着たり、そのまま1枚でワンピースとして着たり。一年中、便利に着まわせる、家の中はもちろん、外にも着て出かけられるエプロンとエプロンドレスです。

少しくらい縫い目が曲がったって気にしない、大丈夫！

自分の好きな布で、楽しく作って、元気に家事をこなし、家でも外でもおしゃれをしていただけたら、とてもうれしく思います。

月居良子

まっすぐに裁ってまっすぐに縫うだけ。ひもも市販の綾テープをつけるだけなので超簡単。1時間もあればできあがります。

作り方 * P.65

1
ギャルソンエプロン

▶ garçon apron

作り方 ✳︎ P.66

2
サークルエプロン

半円のエプロンに綾テープをつけただけ。ウエストで結んでスカートのように着たり、胸元で結んでビスチェのように着たり。

3
作り方 * P.67
スモックエプロン

たっぷりした身頃の衿ぐりにゴムテープを通したスモック。サッとかぶって着られるから便利です。柔らかい薄手素材で。

▶ smock apron

作り方 ＊ P.68

4
Tラインワンピース

身頃も袖もまっすぐだから簡単に作れるワンピース。ジャージーは伸縮性があるので着ていてラク。ホームウエアにも最適です。

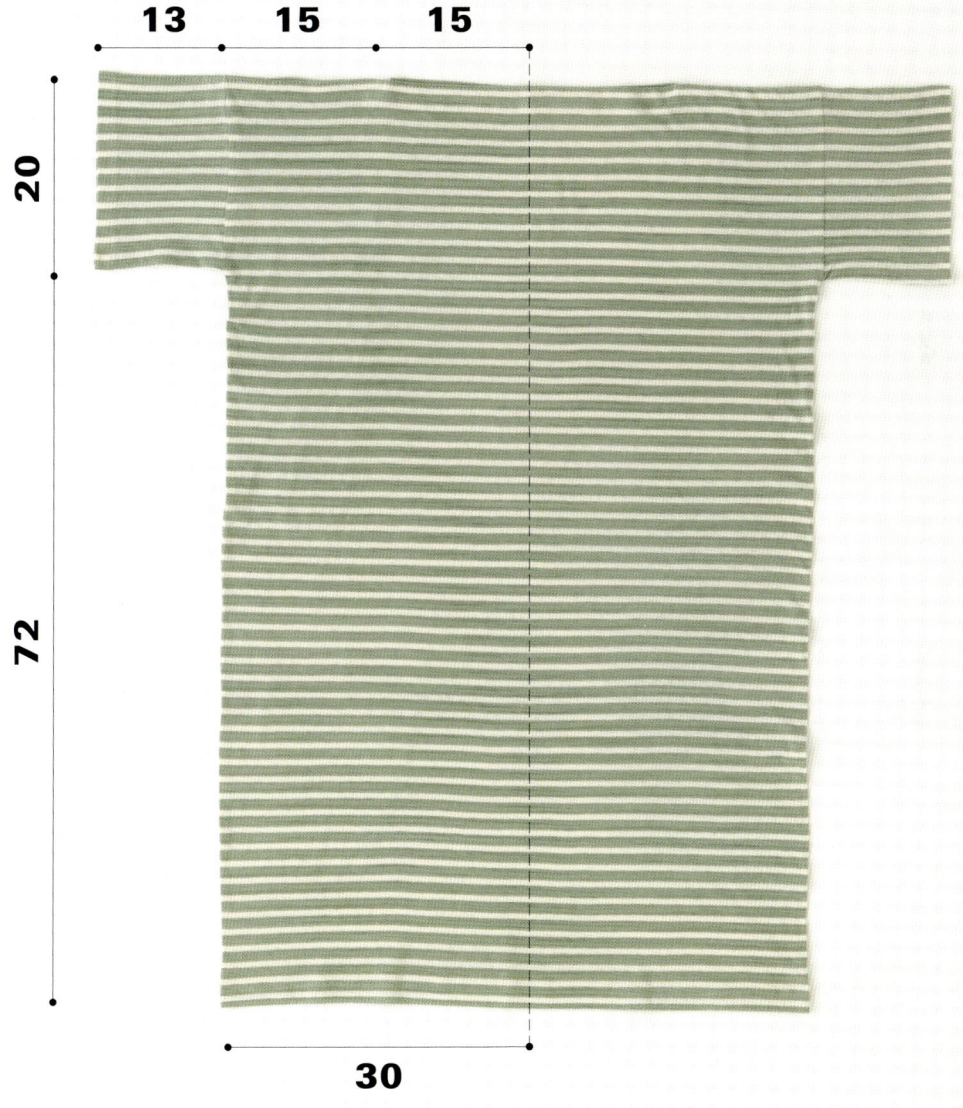

カバーのエプロンと同形で前後の布をかえずに一つのプリント地で作りました。ひもは結ばないでこんなふうに垂らしても。

作り方 ＊ P.69

5
ジャンスカエプロン

▶ jumper skirt apron

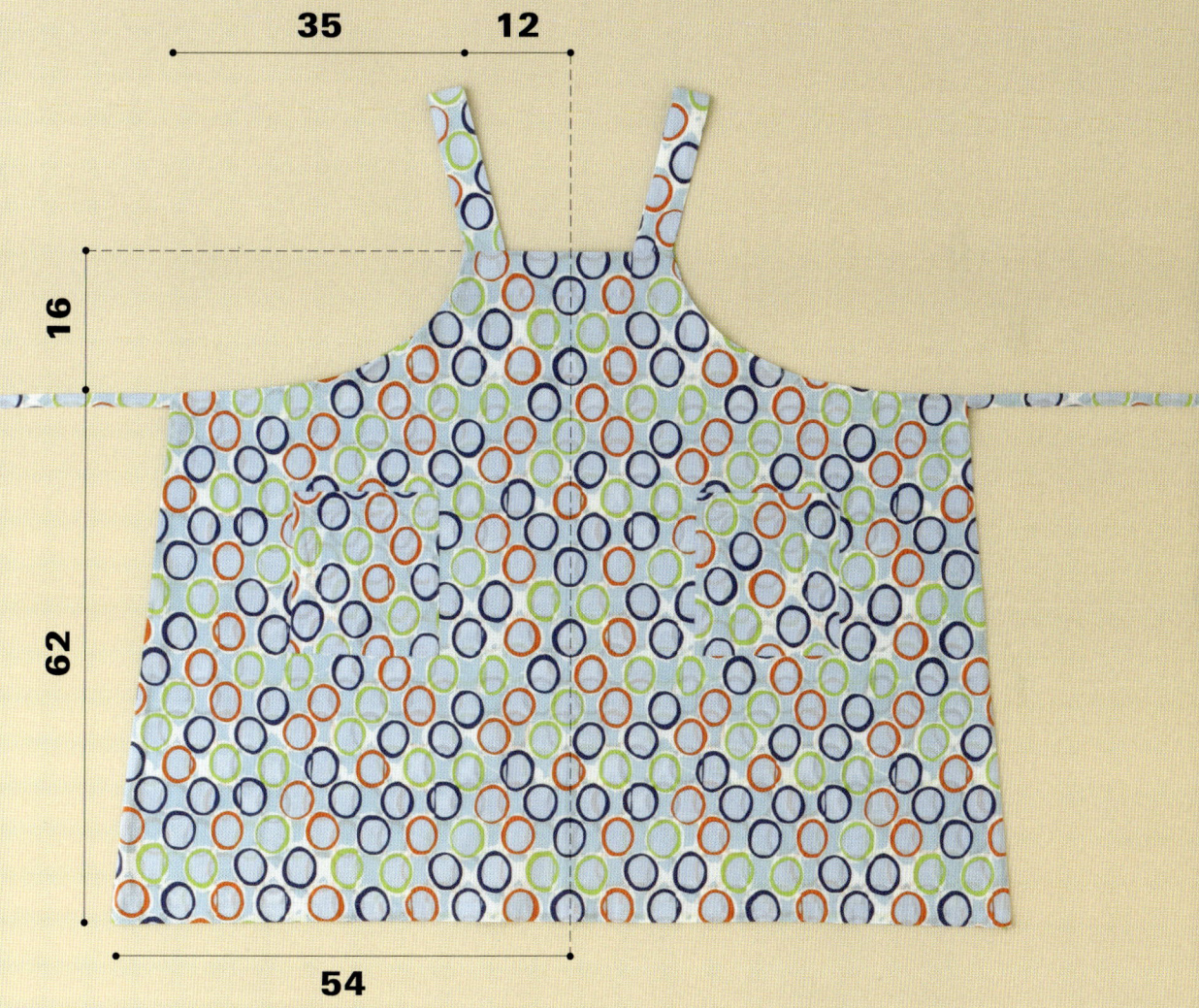

6
作り方 ＊ P.70

2ウェイエプロン

前後同形なので無地とプリント、どちらを前にして着てもいい。脇のひもは前後どちらで結んでも、好みでどうぞ。

2 way apron

かぶって着られるから脱ぎ着がラク。衿ぐり始末のバイアステープは別色をきかせて。重ね着をして、一年中着回して。

作り方 * P.72

7
まっすぐエプロンドレス

▶ straight apron dress

作り方 ＊ P.73

8
筒形ジャンスカ

筒状の身頃にポケットと肩ひもをつけただけ。このままジャンスカとして着てもいいし、ボトムを合わせてもいい。

cube shaped jumper skirt

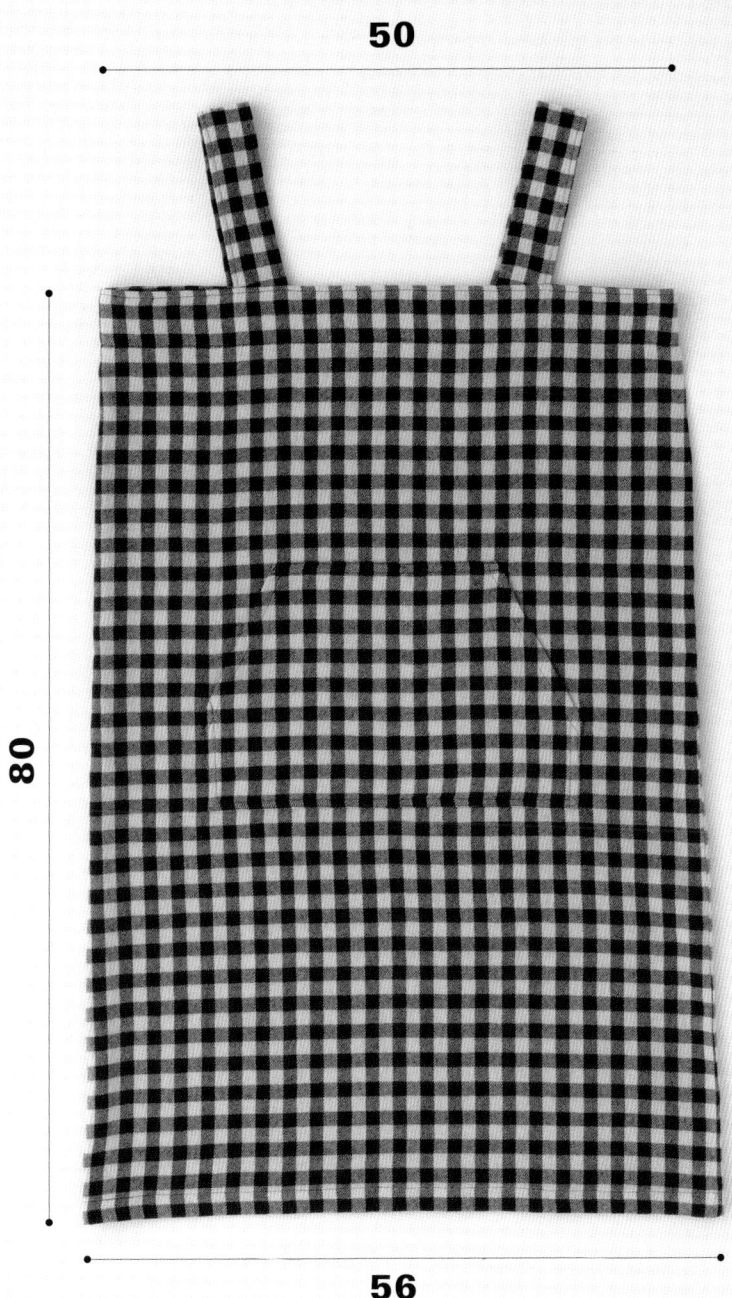

20_21

1枚でワンピースとして着られます。ゆるみがたっぷりでかぶって着られるので重ね着もOK。一年中活躍します。

作り方 * P.74

9
フレンチスリーブワンピース

▶ french sleeve one-piece dress

作り方 * P.76

10
パッチワークエプロン

裏地用の布キュプラでパッチワークしたエプロン。大きな正方形だから簡単です。ジャンスカとして着たり、腰に巻いて着たり。

patchwork apron

作り方 * P.75

11
かっぽう着エプロン

おしゃれかっぽう着は前後
同形で、前はチェック地、
後ろは無地。後ろのひも
結びがポイント。服の上
からサッと着られます。

▶ kappo-gi apron

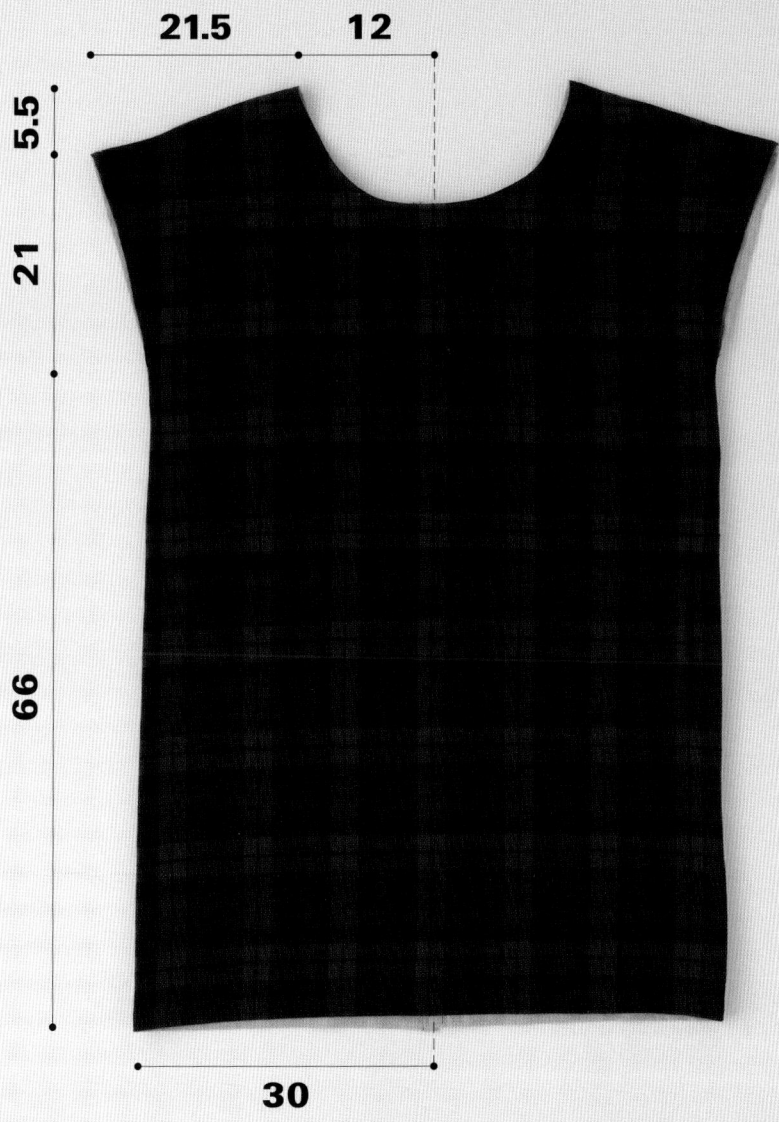

作り方 ＊ P.78

12
バイカラーエプロンドレス

ローウエストで切り替え
たバイカラーのエプロン
ドレス。これ1枚でワン
ピースとしても重ね着を
しても。

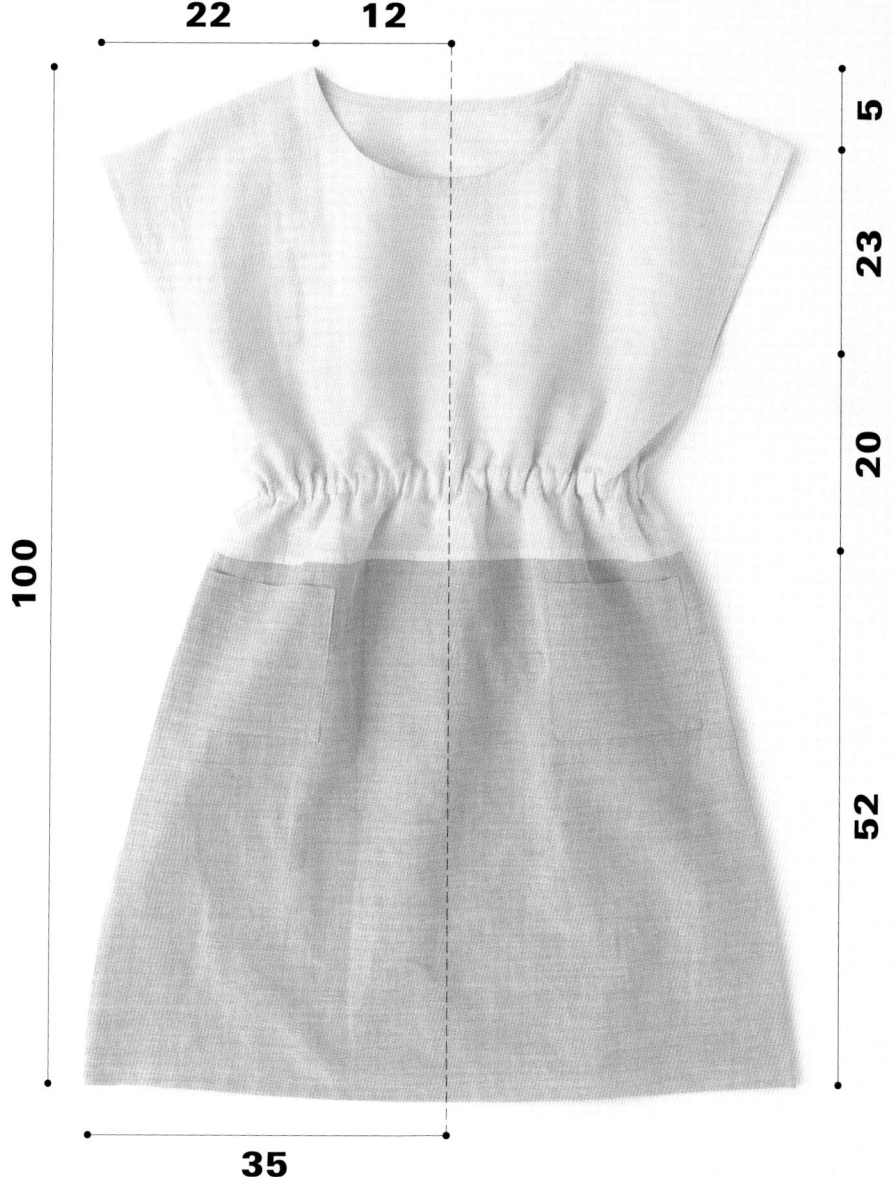

前は胸当てつき、後ろはスカートだけで、前後別布にしたところがポイント。肩ひもは試着してほどよい位置で縫いとめて。

13 作り方 * P.79
ジャンスカエプロン

jumper skirt apron

14
作り方 ＊ P.80
スモックエプロン

たっぷりのゆるみがあるラグランスリーブのスモック。暑い季節はこれ1枚で。3シーズンは重ね着を楽しんでください。

smock apron

着るときれいなドレープが出るピラミッドラインのエプロン。かぶって着られるから肩ひもはあらかじめ形よく結んでおきましょう。

作り方 * P.81

15
肩ひも結びエプロン

▶ shoulder bow apron

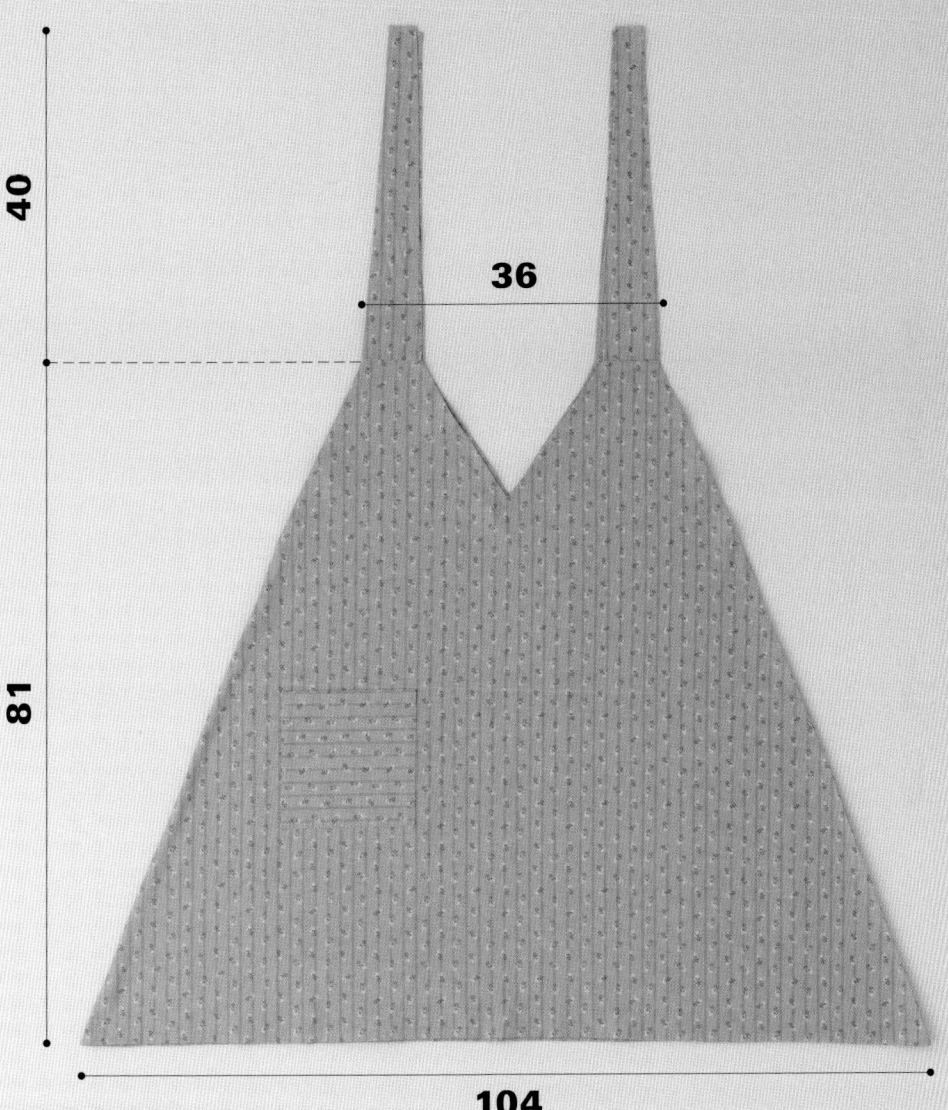

16
ラップロングエプロン

作り方 * P.82

全体はL字形で、スカート部分を巻きつけて着るラップスタイルのエプロン。ジャンスカとして着て出かけられます。

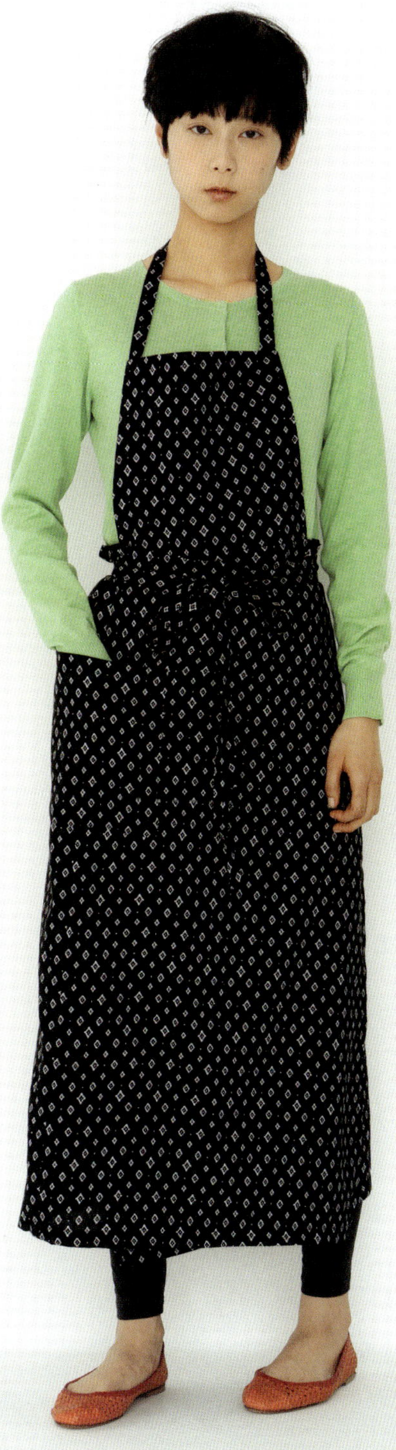

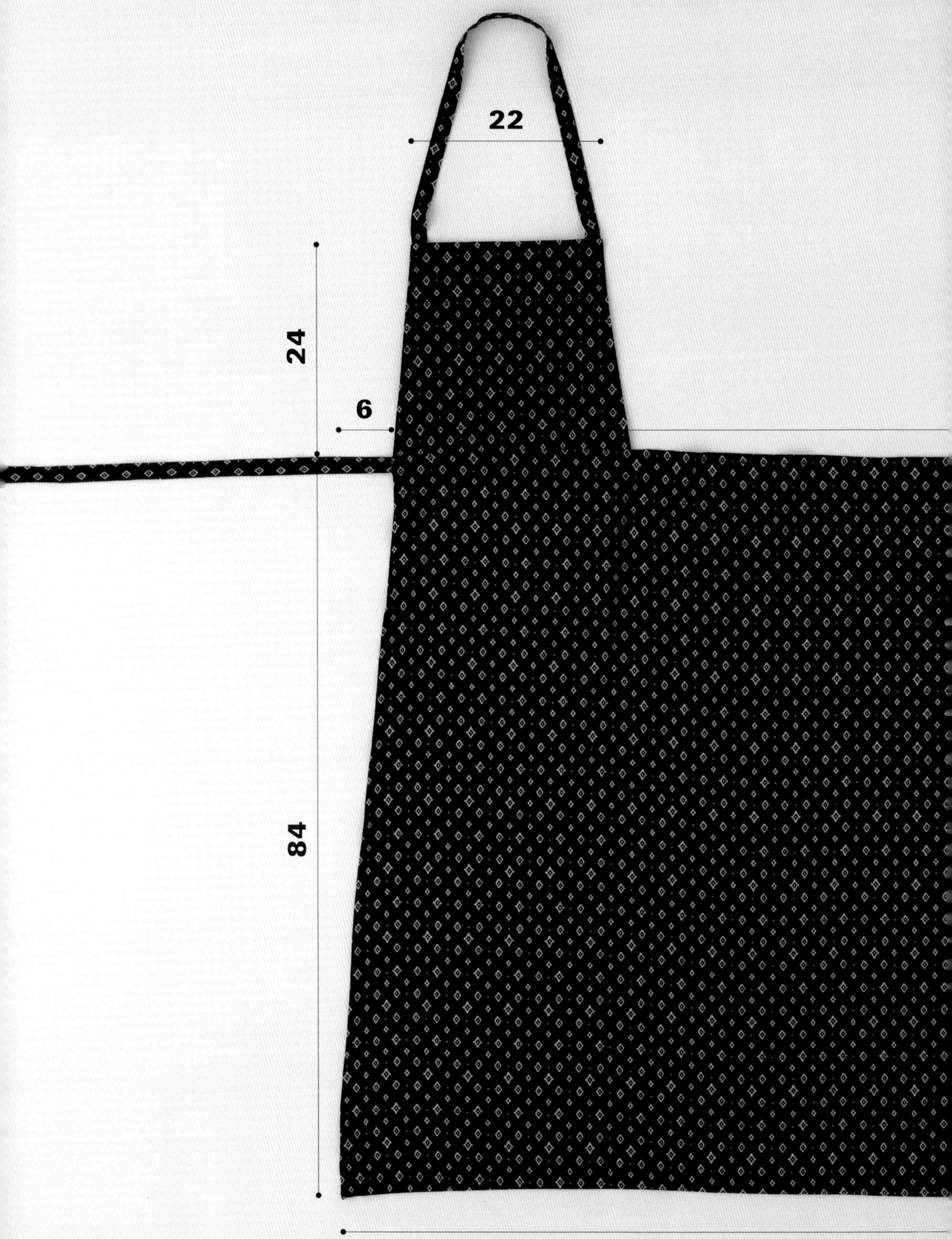
22
24
6
84

▶ **wrap long apron**

140　　**6**

152

作り方 * P.83

17
スモックブラウス

身頃は五角形のユニークな形。袖口と裾にゴムテープを通すとこんなスモックブラウスになります。夏は下にキャミソールを着て。

▶ smock blouse

46

19

60

21

18
サロンエプロン

作り方 * P.84

1枚あると重宝するシンプルなエプロン。幅があって、後ろの重なりもたっぷりあるのでジャンスカとしても着られます。

salon apron

12

25

77

32   28

作り方 ＊ P.85

19
フリル袖ワンピース

ギャザーいっぱいのフリル袖がアクセント。このまま1枚でワンピースとして着てもいいし、インナーに重ね着しても。

frill sleeve one-piece dress

作り方 * P.86

20
Tラインワンピース

胸元のフリルは切りっぱなしをつけるだけなので簡単です。スエットだから着ていてラク。くつろぎ着にもぴったりです。

▶ T line one-piece dress

25 38

14

86

30

作り方 ＊ P.87

21
ミニエプロンつきジャンスカエプロン

2つのエプロンは別布でも
同系色にするとセット感
が出ます。ミニエプロンは
ポケットがたくさんあり、
ガーデニング用に最適。

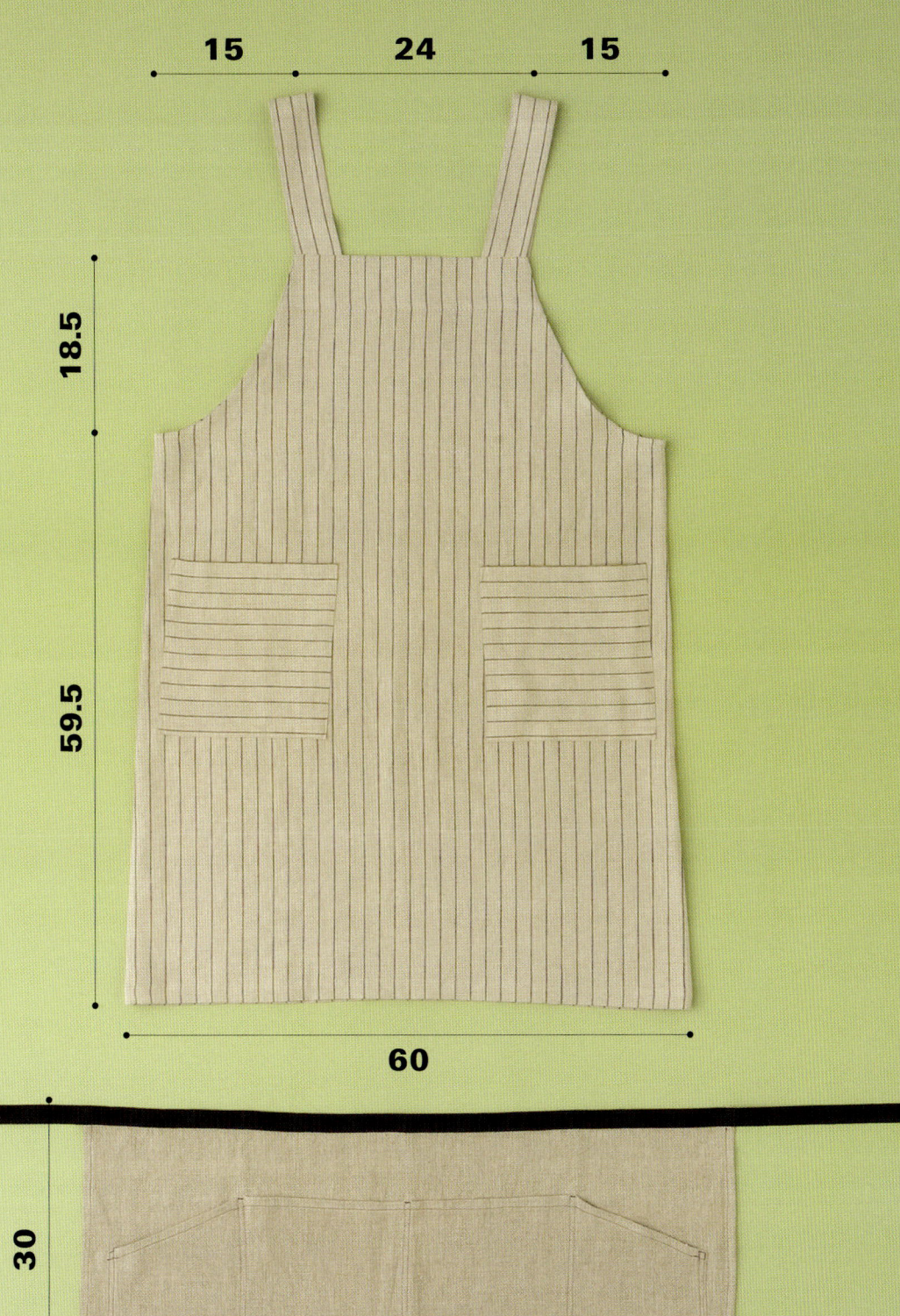

▶ mini apron & jumper skirt apron

15 24 15

18.5

59.5

60

30

70

22
作り方 ＊ P.88

ブラックエプロン

黒いエプロンは、ふだんおしゃれに着るのはもちろん、法事のお手伝いにも使えます。1枚あると急なときも慌てないですみます。

40

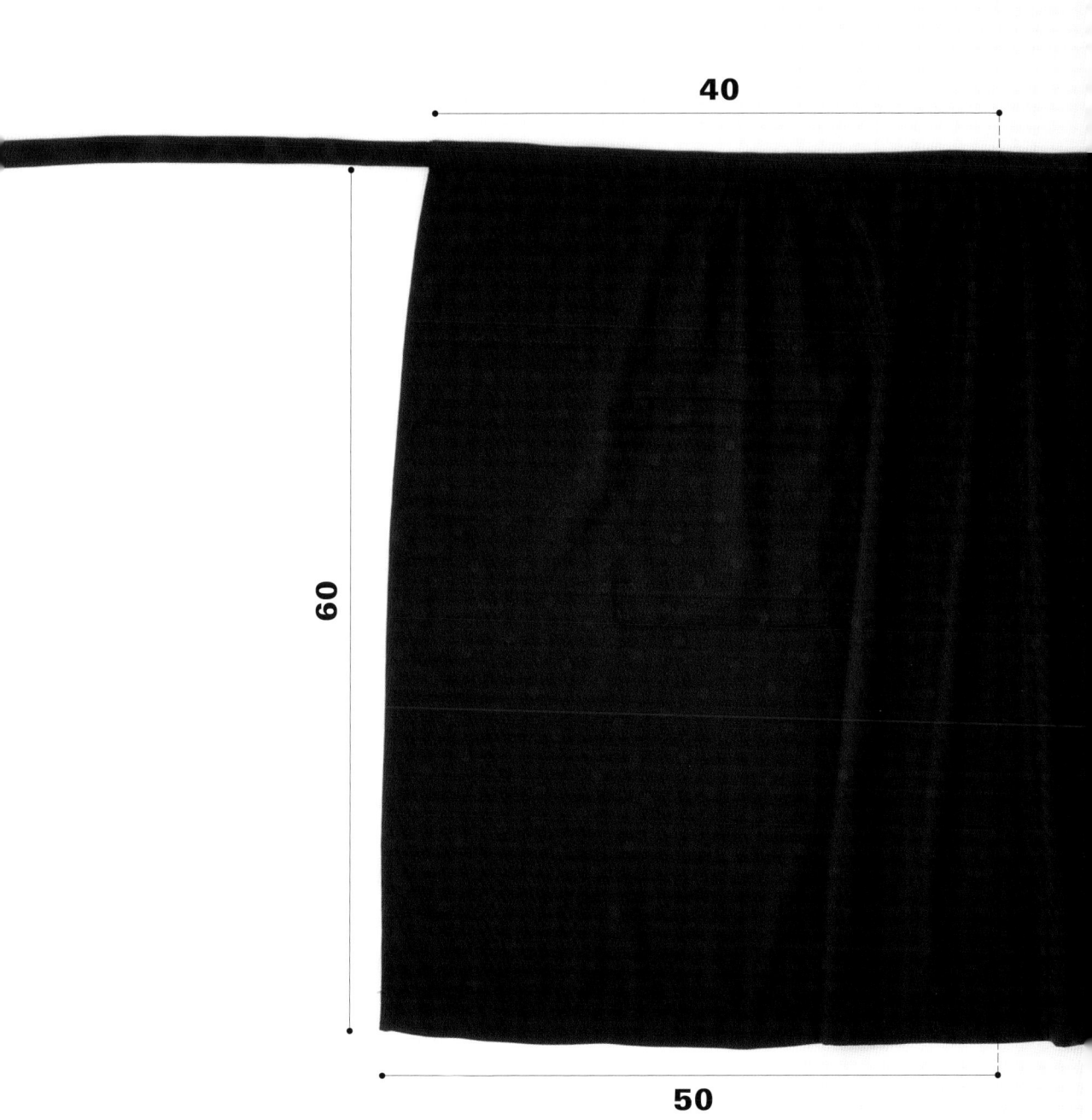

60

50

作り方 ＊ P.90

23
ラッピングチュニック

脇線が段々になったユニークなデザインのチュニック。おなかを包むように前で結んでも後ろで結んでも。垂らしたままでも素敵。

▶ wrapping tunic

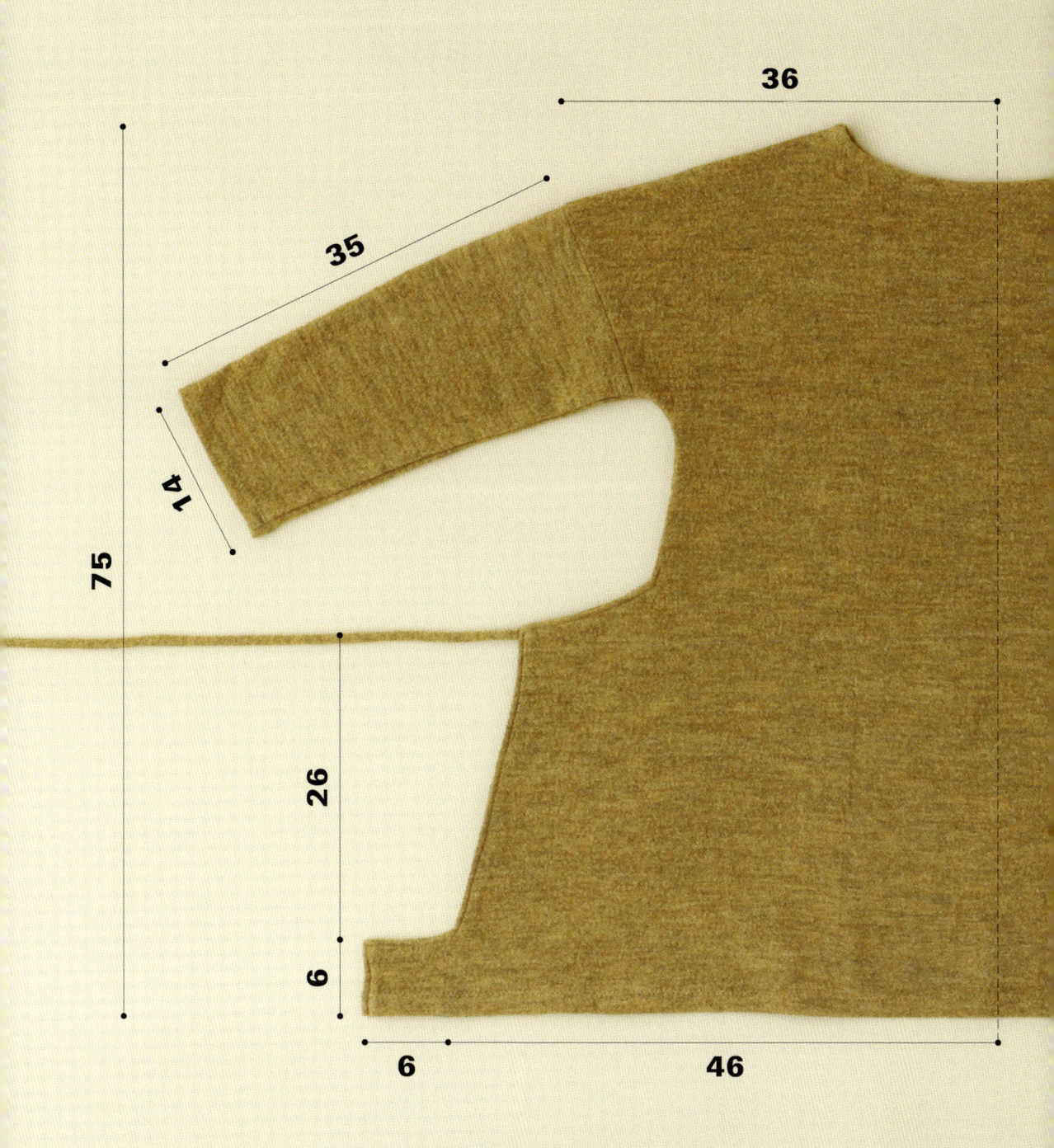

36

35

75

14

26

6

6 46

52ページの着丈を長くしたラッピングワンピース。袖つけをなくすなど、少しのアレンジでこんなに雰囲気が変わります。

24 ラッピングワンピース

作り方 * P.89

36

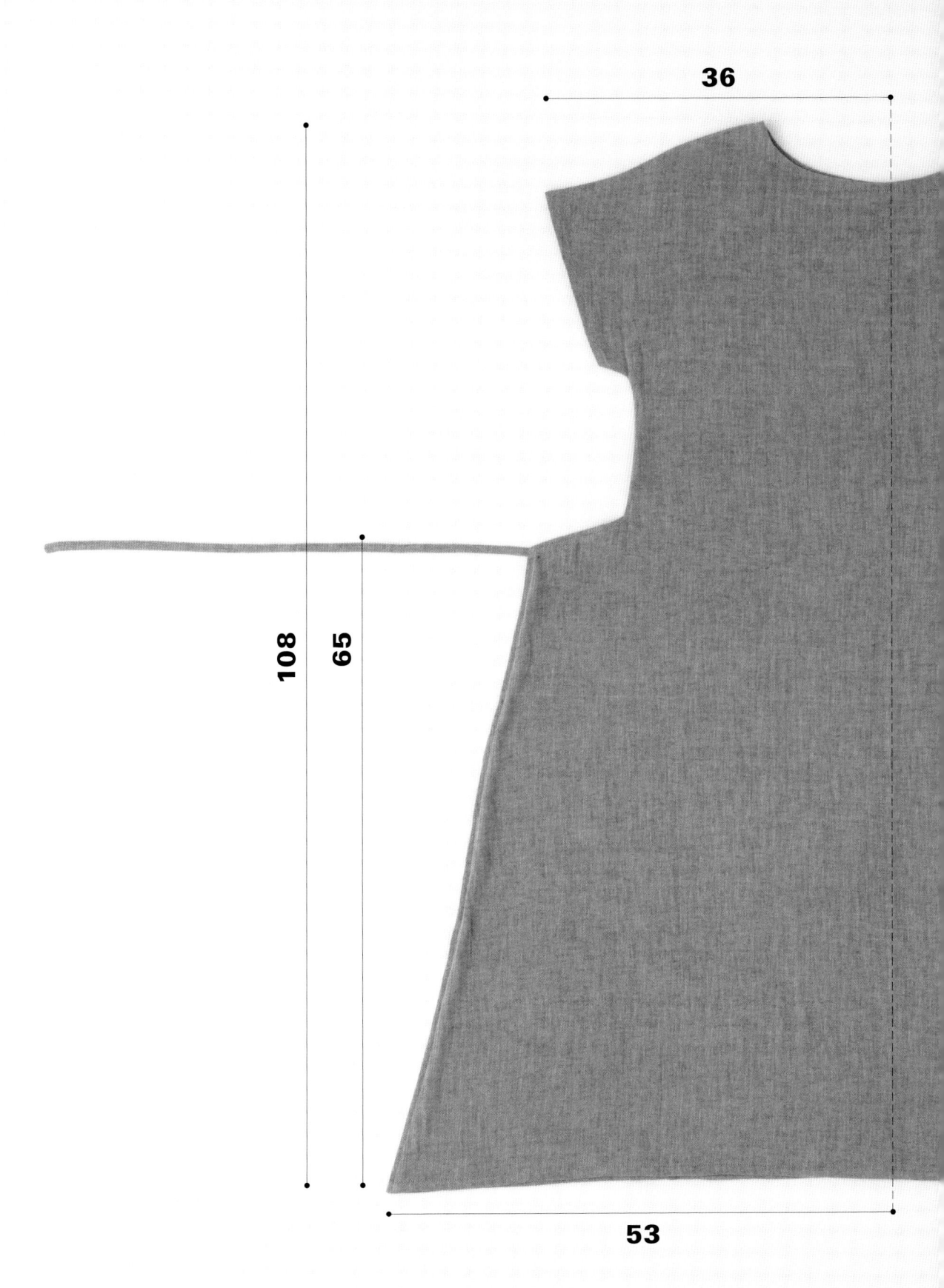

108

65

53

作り方 ＊ P.92

25
ブラックサロンエプロン

胸のフリルがおしゃれな黒いジョーゼットのエプロン。おもてなし用にいかがですか。ジャンスカとしてふだん着にもなります。

11

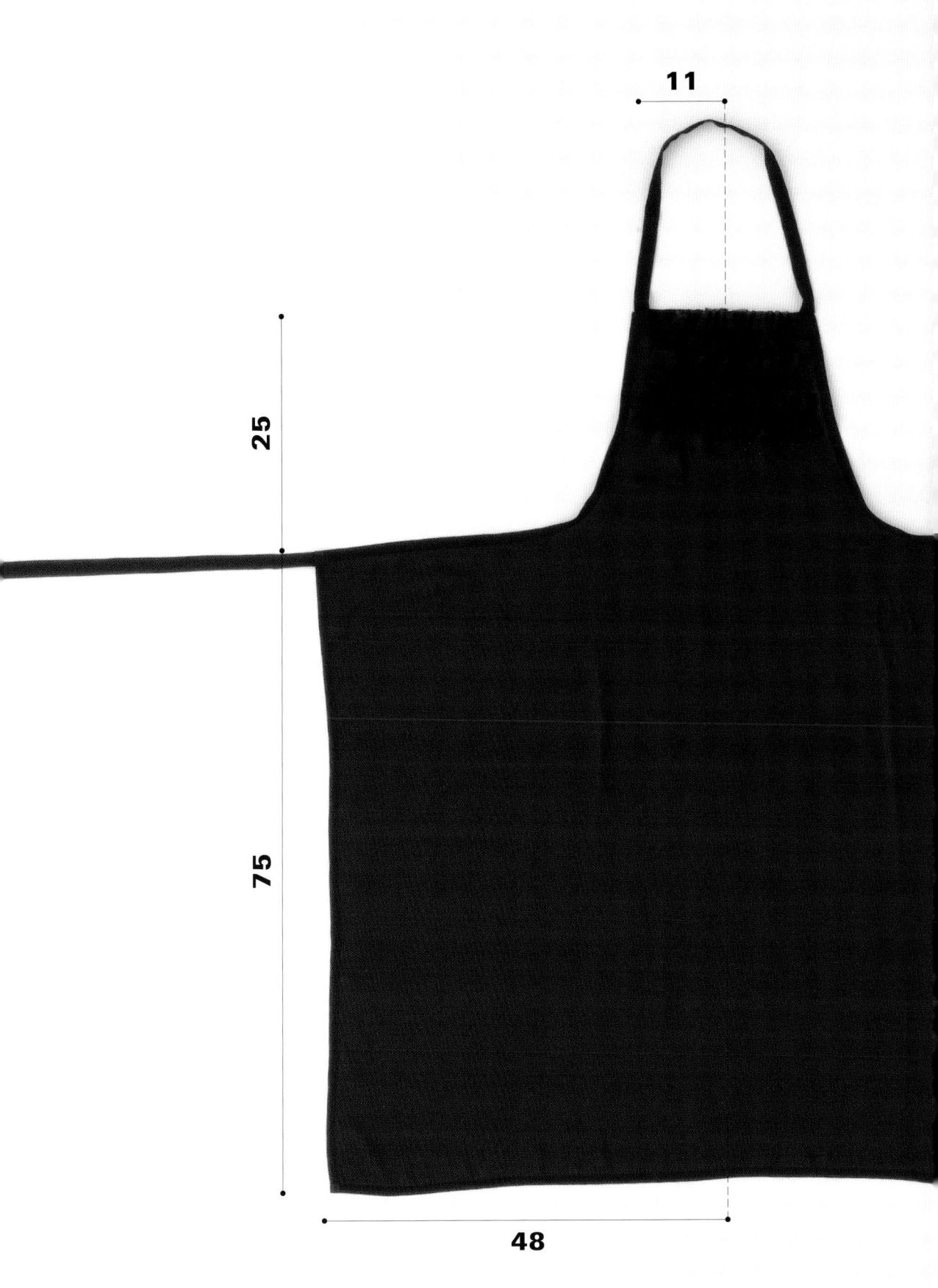

25

75

48

パーツが全部まっすぐなチュニック。スカートにギャザーを寄せて縫い合わせるだけ。ジャンスカのような着こなしはいかがですか。

作り方 * P.93

26
まっすぐチュニック

straight tunic

26

25

60

38

作り方 ＊ P.94

27
Tラインワンピース

台形のような裾広がりのシルエットで、一つつけた大きなポケットがポイント。お出かけ着になるおしゃれなワンピースです。

T line one-piece dress

25 **26**

90

40

サッとかぶれるし、身幅は
たっぷりだし、かっぽう着
代わりに一年中着られる
チュニック。袖下が開いて
いるので動きがラクです。

28 作り方 * P.95
ギャザーチュニック

▶ gather tunic

40

26

70

40

作りはじめる前に ▶ **how to make**

手作りをする手順

1 布選び
作品に使用した布は一例です。
自分の好きな布で、自由に作りましょう。

2 用具をそろえる
服を縫うには、ミシン、アイロン、裁ちばさみなどの洋裁用具、鉛筆、定規などの文房具が必要です。

3 製図をする
作りたい服が決まったら、製図をして型紙を作ります。まっすぐなので布に直接線を引いてもいいですが、何度でも作れるので「同じデザインでもう1着作りたい」というときのために、型紙を作ることをおすすめします。製図には縫い代がついていないので、各作り方の［裁ち方図］を見て型紙に縫い代をつけてください。

4 裁断する
型紙ができたら［裁ち方図］を参考に、布に配置して裁断します。

5 準備する
裁断した各パーツにジグザグミシンをかけたり、裾をアイロンで三つ折りにしたりするなど準備します。

6 縫う
［作り方］の順序で縫います。

サイズについて
Mサイズを中心に製図してありますが、
S～Lサイズの方まで着られるフリーサイズです。
＊一部の作品はMとLの2サイズになっています。

図中の単位は㎝です。

1 ギャルソンエプロン　口絵 ✳ Page.06
garçon apron

✳ 材料
布[コットンストライプ]
　……116cm幅 1.1m
綾テープ……2cm幅 2.6m

✳ 準備
アイロンで後ろ端、裾、ポケット口を三つ折りにする

✳ 作り方
1　ポケットを作り、つける
2　後ろ端を三つ折りにして縫う
3　裾を三つ折りにして縫う
4　ウエストに綾テープをつけ、そのままひもにする

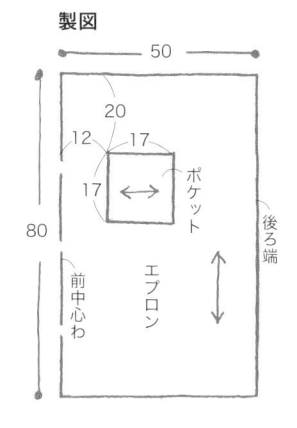

製図

裁ち方図

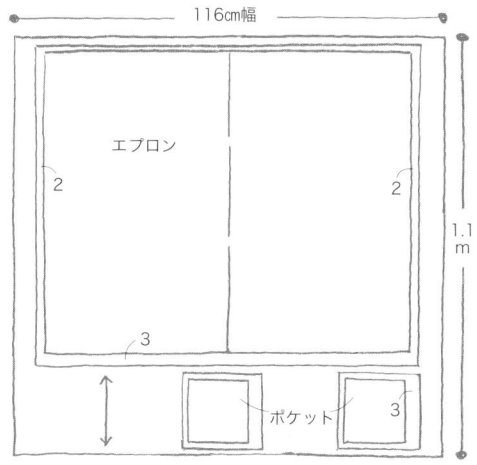

※指定以外の縫い代は1cm

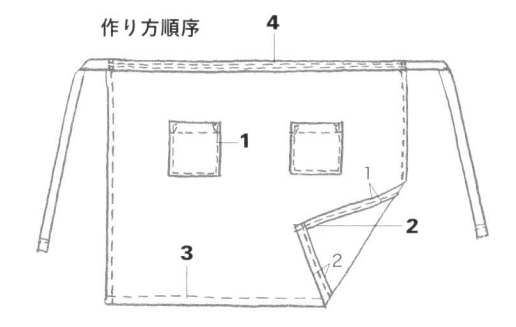

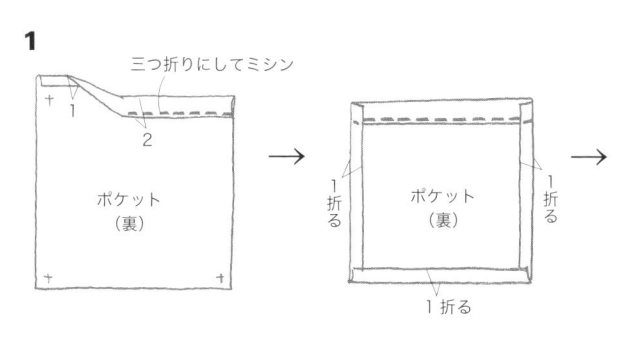

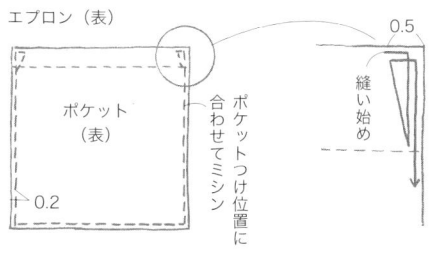

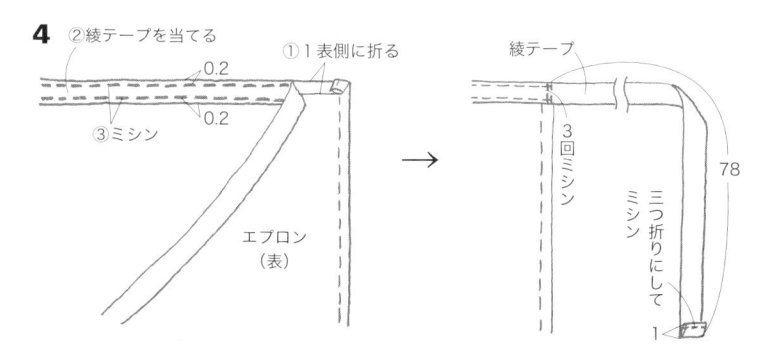

作り方順序

1

4

2 サークルエプロン 口絵 ＊ Page.08
circle apron

＊ 材料
布[コットンプリント]
　……114cm幅 1.3m
綾テープ……2cm幅 3m
バイアステープ
　……12.7mm幅 2.4m

＊ 準備
アイロンでポケット口を三つ折りにする

＊ 作り方
1　ポケットを作り、つける（p.94参照）
2　周囲（ウエストを除く）をバイアステープで始末する
3　ウエストの縫い代を裏側に折り、綾テープを裏に当ててつけ、そのままひもにする(p.77参照)

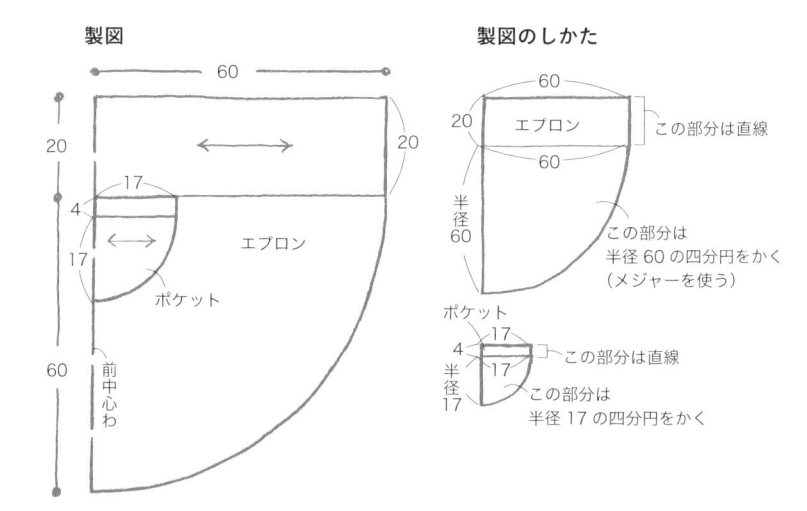

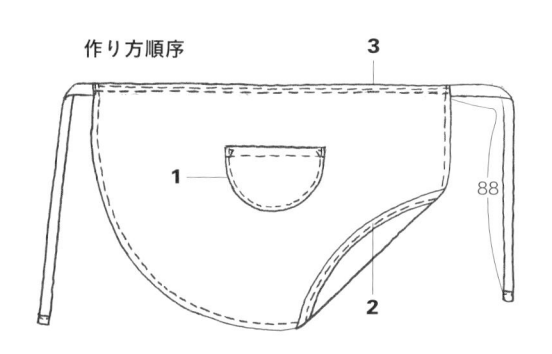

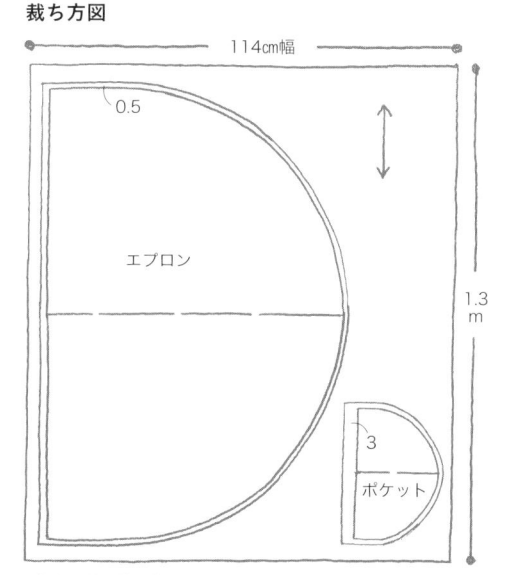

製図

製図のしかた

この部分は直線
この部分は半径60の四分円をかく（メジャーを使う）
この部分は直線
この部分は半径17の四分円をかく

作り方順序

裁ち方図

＊指定以外の縫い代は1cm

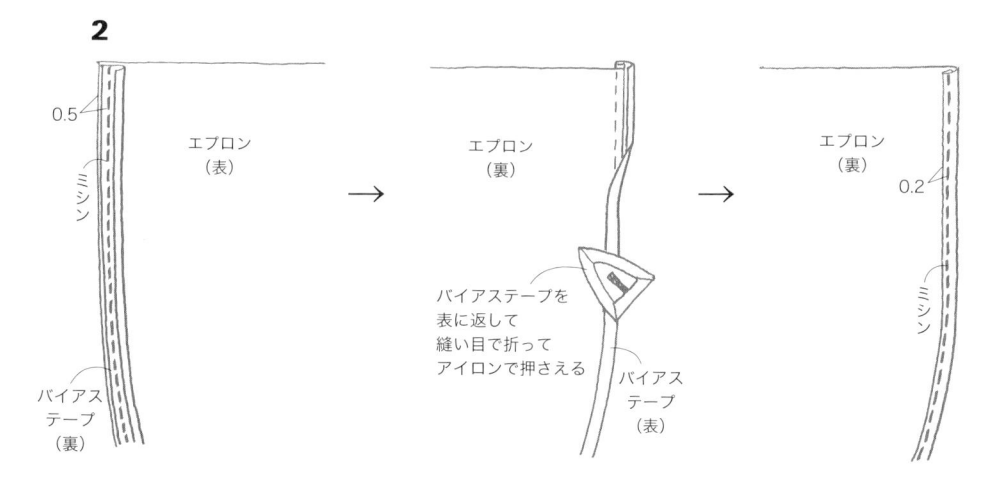

バイアステープを表に返して縫い目で折ってアイロンで押さえる

3 スモックエプロン 口絵 ✳ Page.10
smock apron

✳ **材料**
布［コットンレーヨン］
……102cm幅 2.3m
ゴムテープ……0.7cm幅 70cm

✳ **準備**
アイロンで袖口、裾を三つ折りにする。脇、袖のつけ側と袖下にジグザグミシンをかける

✳ **作り方**
1　衿ぐりを共布のバイアステープで始末する(p.78、89参照)
2　袖をつける(縫い代は割る。p.68参照)
3　袖下を縫う(縫い代は割る。p.68参照)
4　脇を縫う(縫い代は割る。p.68参照)
5　袖口を三つ折りにして縫う
6　裾を三つ折りにして縫う
7　衿ぐりにゴムテープを通す

製図

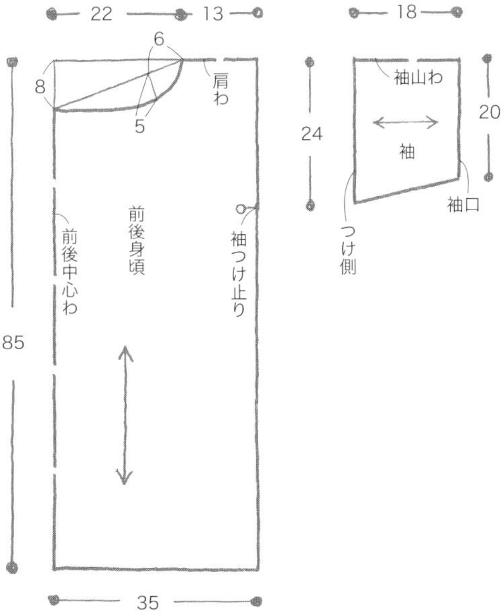

裁ち方図

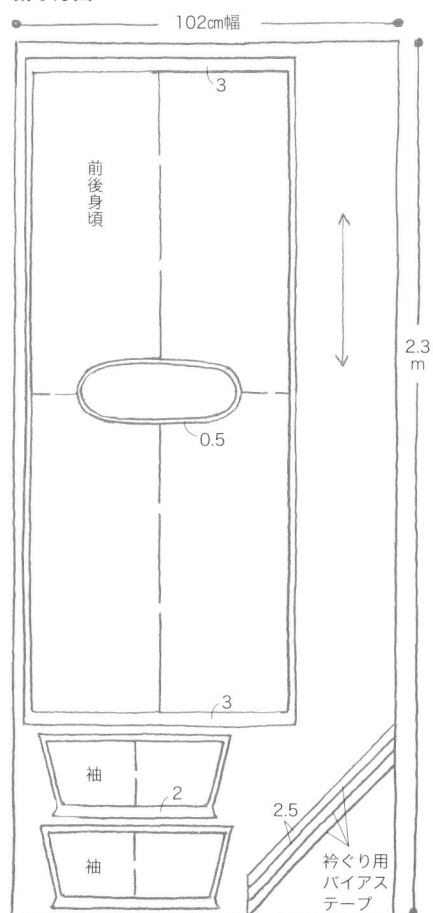

作り方順序

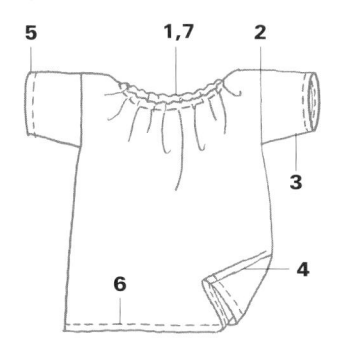

※指定以外の縫い代は1cm

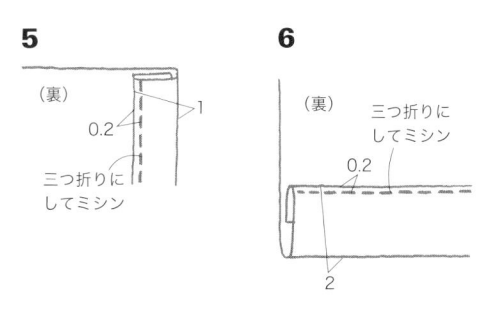

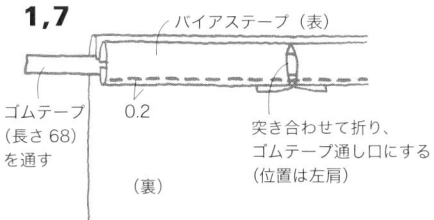

4 Tラインワンピース 口絵 * Page.12
T line one-piece dress

* 材料
布[コットンジャージー]
……165cm幅 1m

* 準備
アイロンで袖口、裾を二つ折りにする。身頃と袖の周囲にジグザグミシンをかける

* 作り方
1 肩を縫う(縫い代は割る)
2 衿ぐりを二つ折りにして縫う
3 袖をつける
(袖つけ止りから袖つけ止りまで縫い、縫い代は割る)
4 袖下を縫う(縫い代は割る)
5 脇を縫う(縫い代は割る)
6 袖口を二つ折りにして縫う
7 裾を二つ折りにして縫う

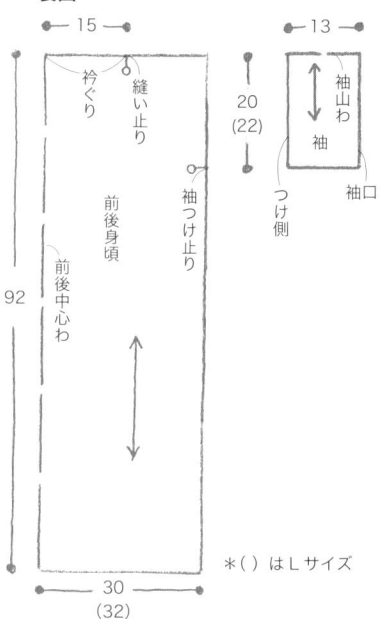

製図
- 15
- 衿ぐり
- 縫い止り
- 前後身頃
- 前後中心わ
- 袖つけ止り
- 92
- 30 (32)
- 13
- 20 (22)
- 袖山わ
- 袖
- つけ側
- 袖口
- *( )はLサイズ

裁ち方図
- 165cm幅
- 2.5
- 前後身頃
- 2.5
- 袖 2(袖口)
- 袖
- 1m
- *指定以外の縫い代は1cm

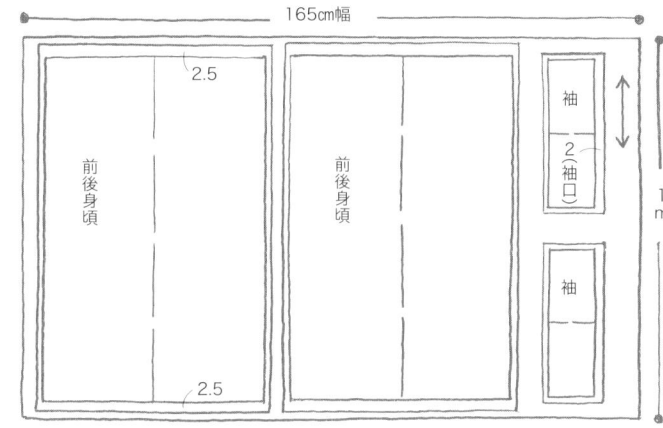

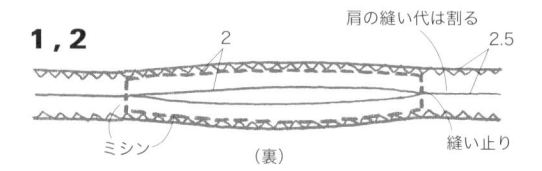

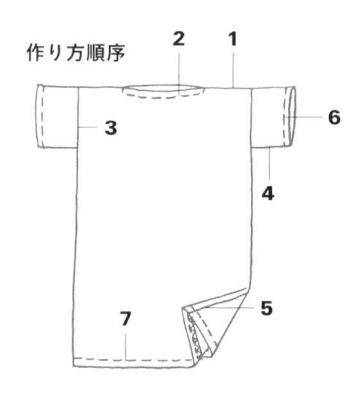

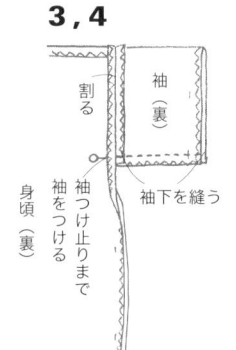

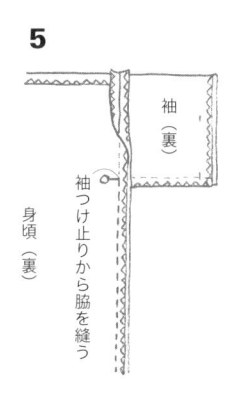

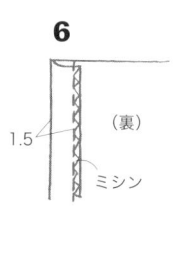

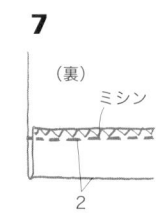

1, 2
- 2
- 肩の縫い代は割る
- 2.5
- ミシン
- (裏)
- 縫い止り

作り方順序
1, 2, 3, 4, 5, 6, 7

3, 4
- 割る
- 袖(裏)
- 袖つけ止りまで袖をつける
- 袖下を縫う
- 身頃(裏)

5
- 袖(裏)
- 袖つけ止りから脇を縫う
- 身頃(裏)

6
- 1.5
- (裏)
- ミシン

7
- (裏)
- ミシン
- 2

5 ジャンスカエプロン 口絵 ✳ Page.14
jumper skirt apron

✳ **材料**
布[コットンプリント]
……112cm幅 2.2m
接着芯……90cm幅 40cm

✳ **準備**
アイロンでポケット口、裾を三つ折りにする。肩ひも、見返しに接着芯をはる

✳ **作り方**
p.70 参照

裁ち方図

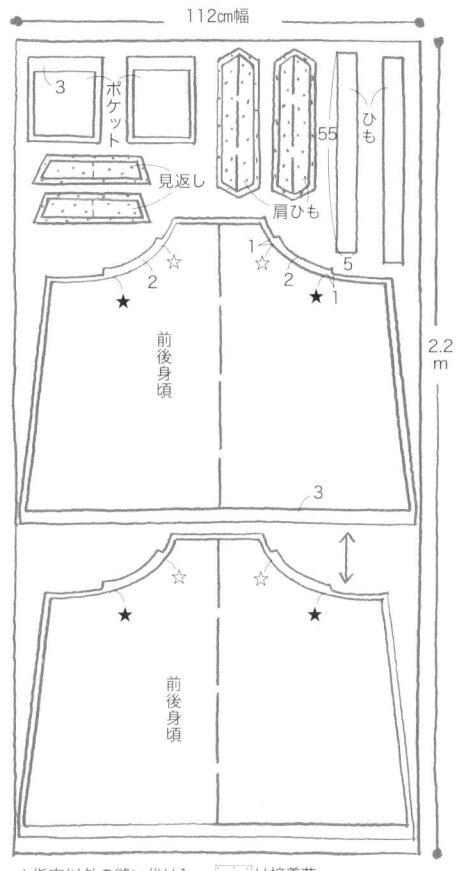

製図 5、6共通

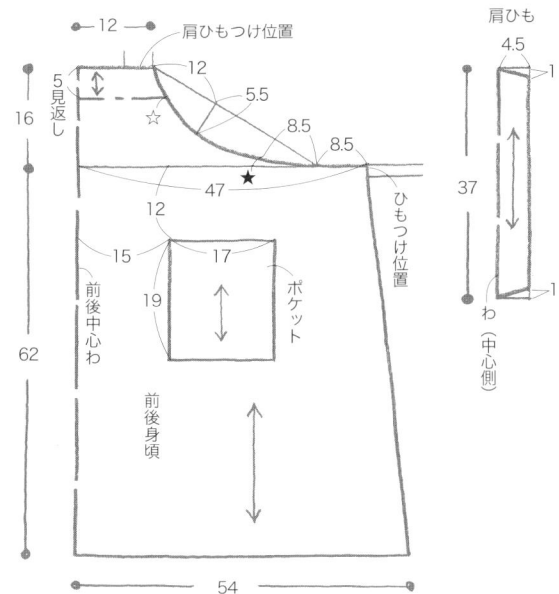

☆見返しつけ止り
★縫い止り

*指定以外の縫い代は1cm ▨は接着芯

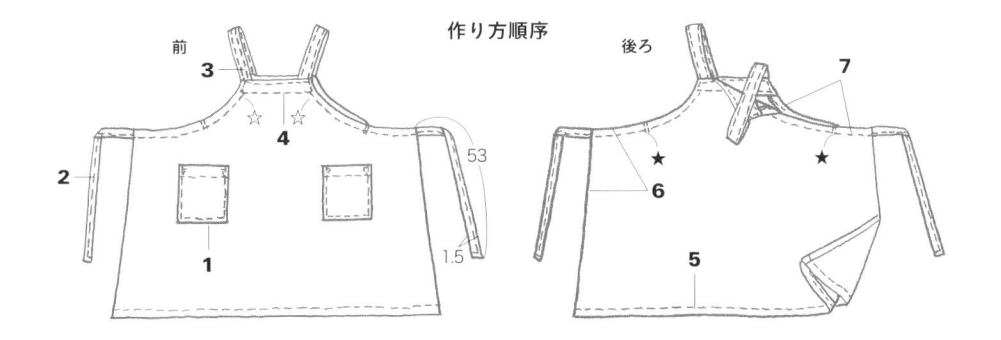

作り方順序

6 2ウェイエプロン 口絵 ＊ Page.16、カバー
2way apron

＊材料
布［コットンプリント］……112cm幅 1m
布［ソフトデニム］……112cm幅 1.4m
接着芯……90cm幅 40cm

＊準備
アイロンでポケット口、裾を三つ折りにする。肩ひも、見返しに接着芯をはる

＊作り方
1 ポケットを作り、つける（p.65参照）
2 ひもを作る（p.75参照）
3 肩ひもを作る
4 肩ひもをはさみ、上端を見返しで始末する
5 裾を三つ折りにして縫う
6 ひもをはさみ、★縫い止りから脇を縫う
7 カーブ部分を始末する
製図 p.69参照

裁ち方図

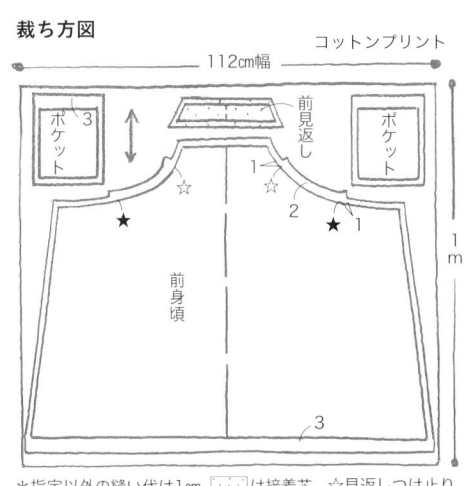

＊指定以外の縫い代は1cm　は接着芯　☆見返しつけ止り　★縫い止り

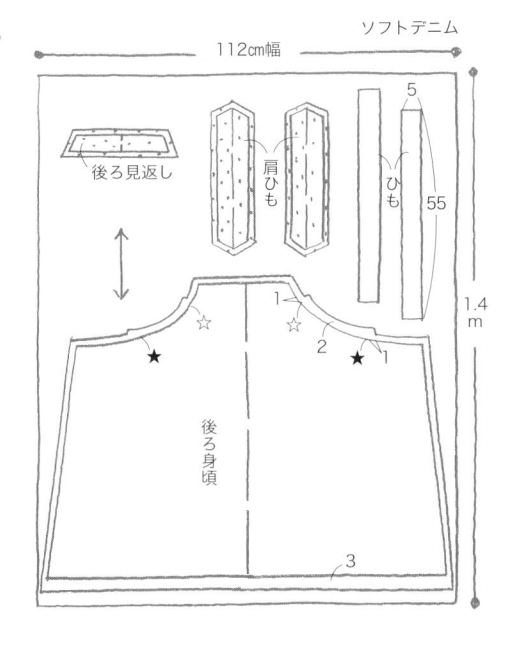

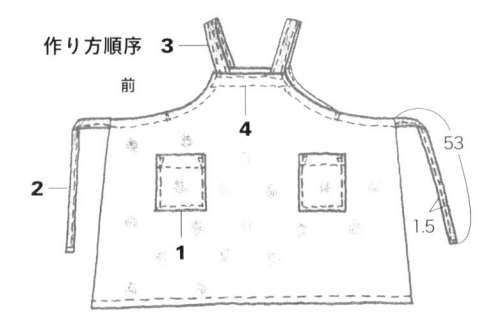

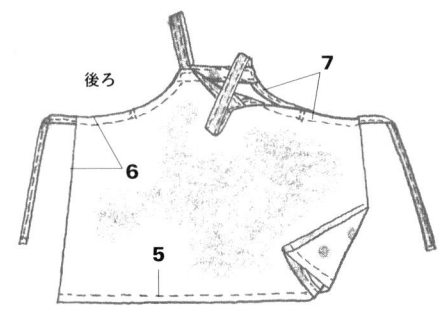

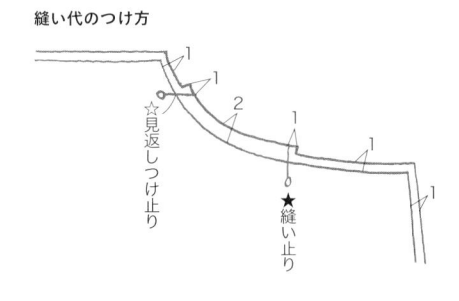

作り方順序

縫い代のつけ方

3,4

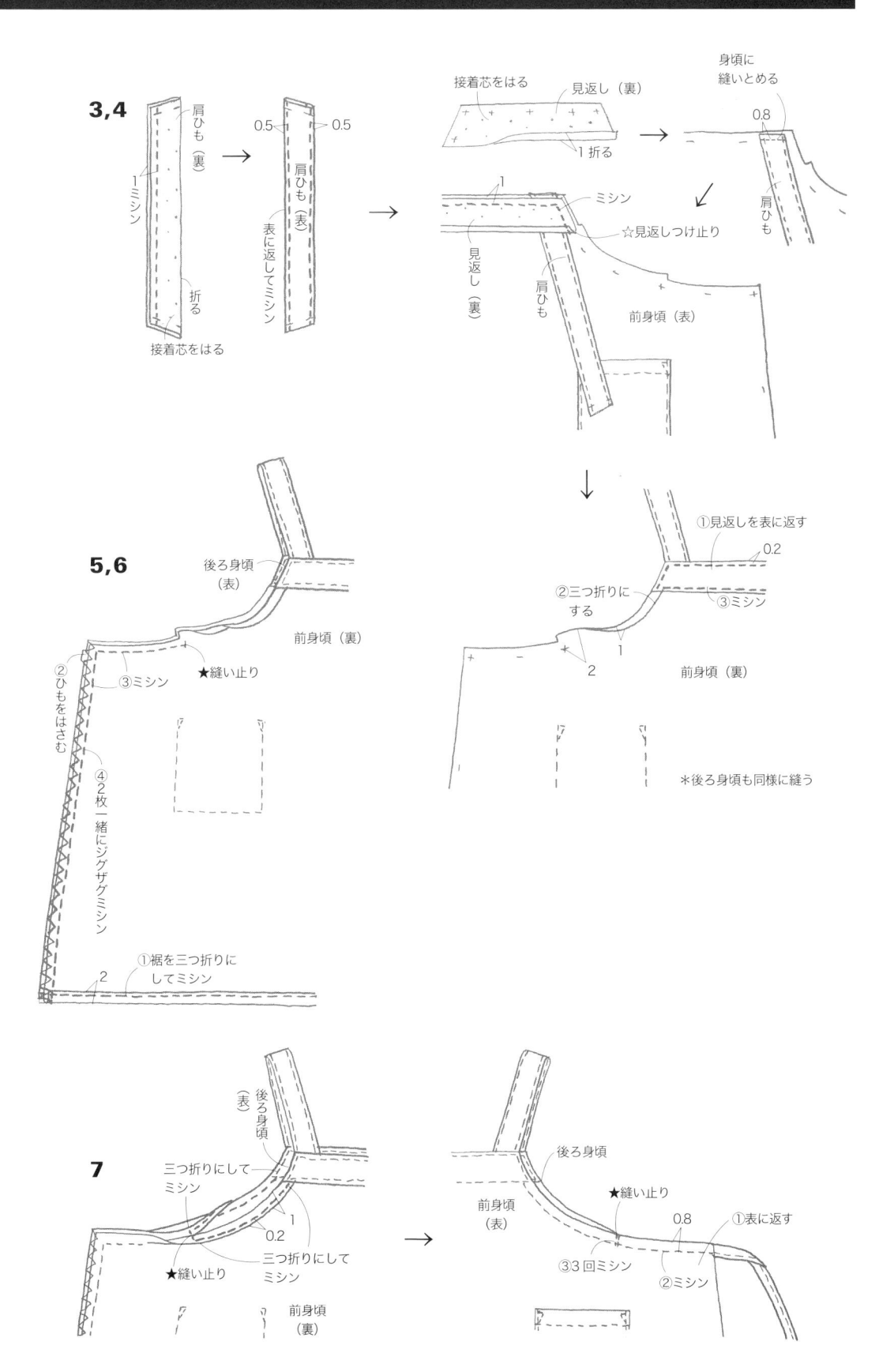

肩ひも（裏）
1 ミシン
折る
接着芯をはる

→

肩ひも（表）
0.5　0.5
表に返してミシン

→

接着芯をはる
見返し（裏）
1 折る

1
ミシン
見返し（裏）
肩ひも
☆見返しつけ止り
前身頃（表）

身頃に縫いとめる
0.8
肩ひも

↓

①見返しを表に返す
0.2
③ミシン
②三つ折りにする
1
2
前身頃（裏）

＊後ろ身頃も同様に縫う

5,6

後ろ身頃（表）
前身頃（裏）
★縫い止り
②ひもをはさむ
③ミシン
④2枚一緒にジグザグミシン
①裾を三つ折りにしてミシン
2

7

後ろ身頃（表）
三つ折りにしてミシン
1
0.2
三つ折りにしてミシン
★縫い止り
前身頃（裏）

→

後ろ身頃
★縫い止り
0.8
①表に返す
②ミシン
③3回ミシン
前身頃（表）

7 まっすぐエプロンドレス 口絵 * Page.18
straight apron dress

* **材料**
  布[コットンボーダー]
  ……112cm幅 2m
  バイアステープ
  ……12.7mm幅 70cm

* **準備**
  アイロンで袖口、ポケット口、裾を三つ折りにする。肩、脇にジグザグミシンをかける

* **作り方**
  1. ポケットを作り、つける（p.65参照）
  2. 肩を縫う（縫い代は割る）
  3. 衿ぐりをバイアステープで始末する（p.89参照）
  4. 脇を縫う（縫い代は割る）
  5. 袖口を三つ折りにして縫う
  6. 裾を三つ折りにして縫う

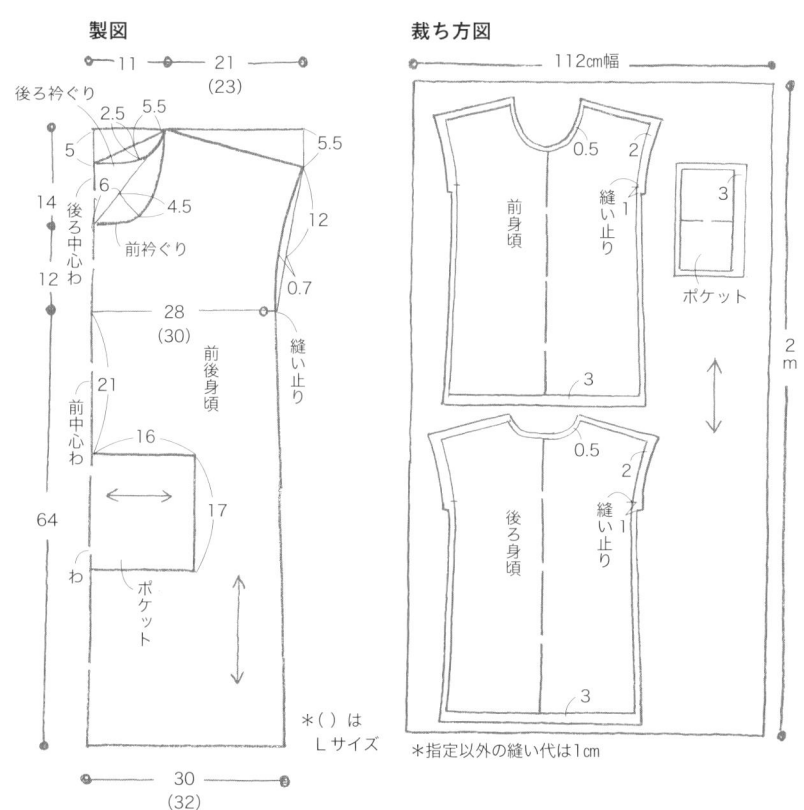

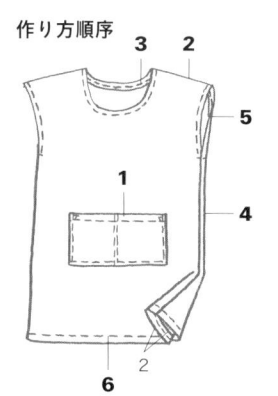

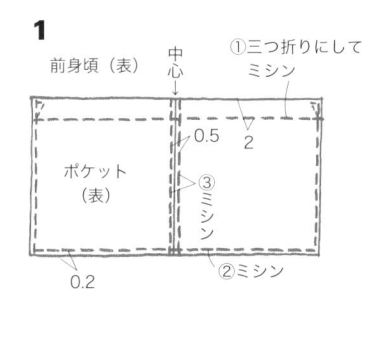

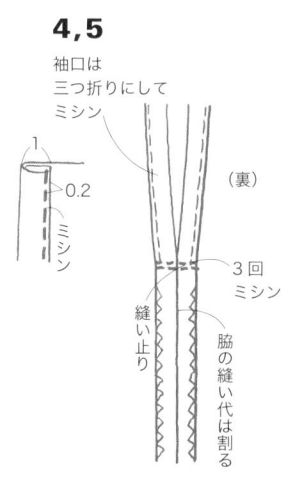

製図

裁ち方図
*指定以外の縫い代は1cm

*( )はLサイズ

作り方順序

8 筒形ジャンスカ 口絵 ✽ Page.20
tube-shaped jumper skirt

✽ **材料**
布［コットンウール］
　……118cm幅 1.8m
接着芯……90cm幅 40cm

✽ **準備**
アイロンでポケット口、裾を三つ折り、ポケットの周囲（ポケット口を除く）を二つ折りにする。肩ひも、見返しに接着芯をはる

✽ **作り方**
1　ポケットを作り、つける
2　肩ひもを作る(p.71 参照)
3　脇を縫う（縫い代は2枚一緒にジグザグミシンをかけて後ろ側に倒す）
4　見返しの脇を縫い、下側を折る。肩ひもをはさんで上端を縫って(p.71 参照)表に返し、見返しの下側をミシンで縫いとめる
5　裾を三つ折りにして縫う

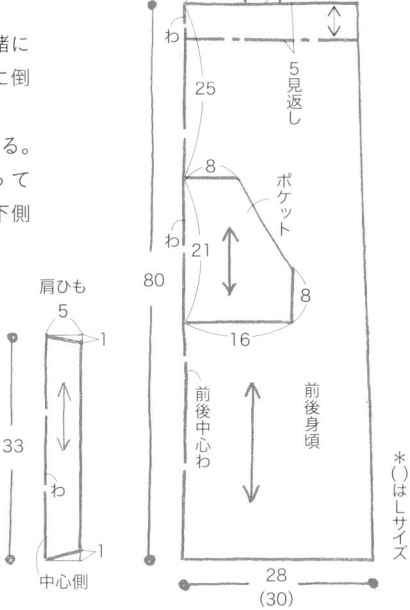

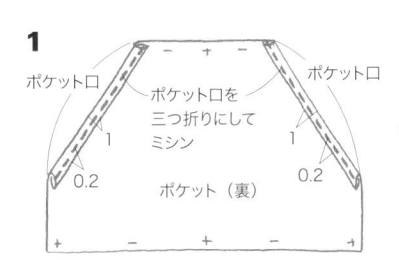

*( )はLサイズ
※指定以外の縫い代は1cm ▨は接着芯

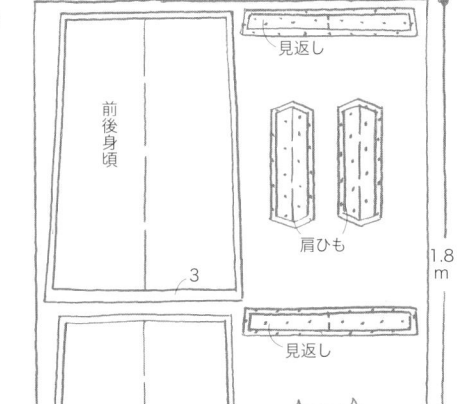

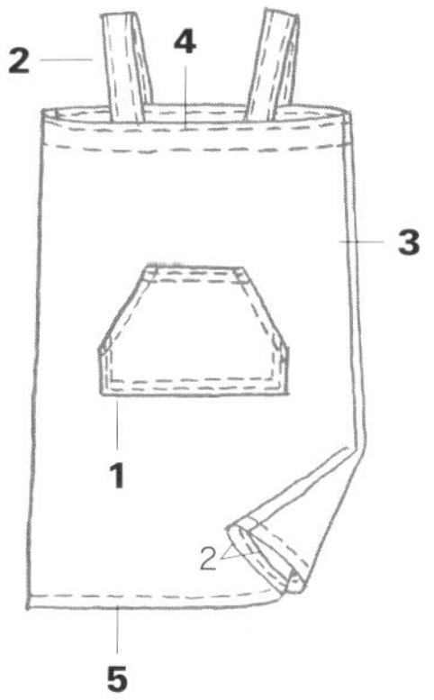

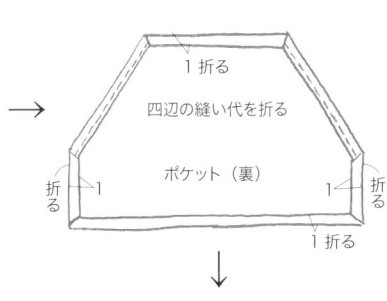

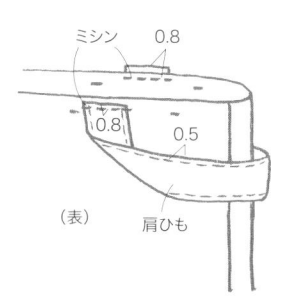

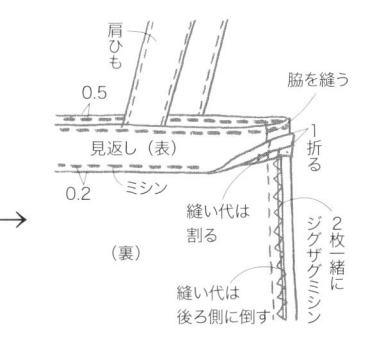

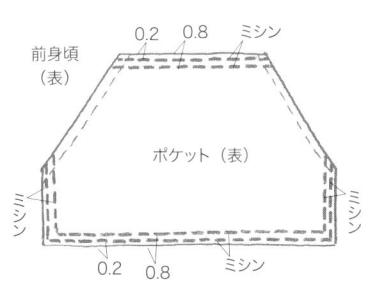

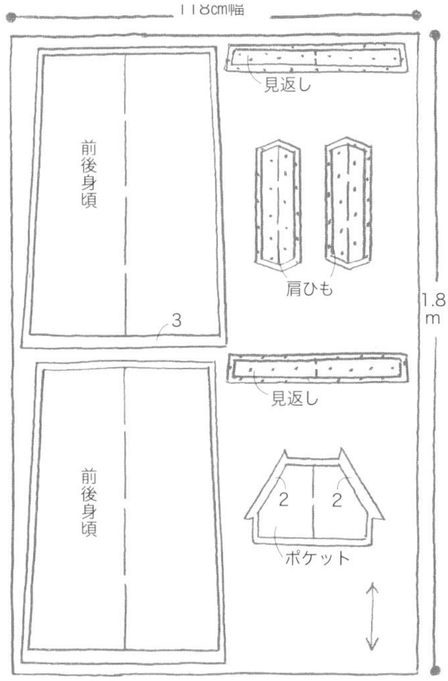

9 フレンチスリーブワンピース　口絵 ＊ Page.22
french sleeve one-piece dress

＊ **材料**
布［ダブルガーゼ］……110cm幅 2.1m

＊ **準備**
アイロンで袖口、裾を三つ折りにする。脇にジグザグミシンをかける

＊ **作り方**

1　肩を縫う（縫い代は2枚一緒にジグザグミシンをかけて後ろ側に倒す）

2　前衿ぐりにギャザーを寄せる。共布のバイアステープを作り、衿ぐりをくるむ

3　脇を縫う（縫い代は割る）

4　袖口を三つ折りにして縫う（p.75参照）

5　裾を三つ折りにして縫う

作り方順序

前　2　5

後ろ　1　4　3

製図

5 / 12 / 16.5 (18.5)
10.5
7.5 / 3.5 / 5.5
6　ギャザー止り（前）
11
1
15.5
25 (27)
縫い止り
前中心わ / 後ろ中心わ / 前後身頃
70.5
30 (32) 後ろ
35 (37) 前
＊（ ）はLサイズ

裁ち方図

110cm幅
2.1m
前身頃　裁ち切り　2 縫い止り　1
後ろ身頃　裁ち切り　2 縫い止り　1
3
3.5
衿ぐり用バイアステープ

＊指定以外の縫い代は1cm

2

後ろ身頃（表）
①ギャザーミシンをかける
②12に縮める
0.2
ギャザー止り　0.7　ギャザー止り
前身頃（裏）

バイアステープ（裏）
3.5
アイロンで突き合わせに折る

折り目の上を縫う
折ったところに1重ねる
1折る
バイアステープ（裏）
前身頃（裏）

①バイアステープで衿ぐりをくるむ
②表からミシン
0.1
前身頃（表）

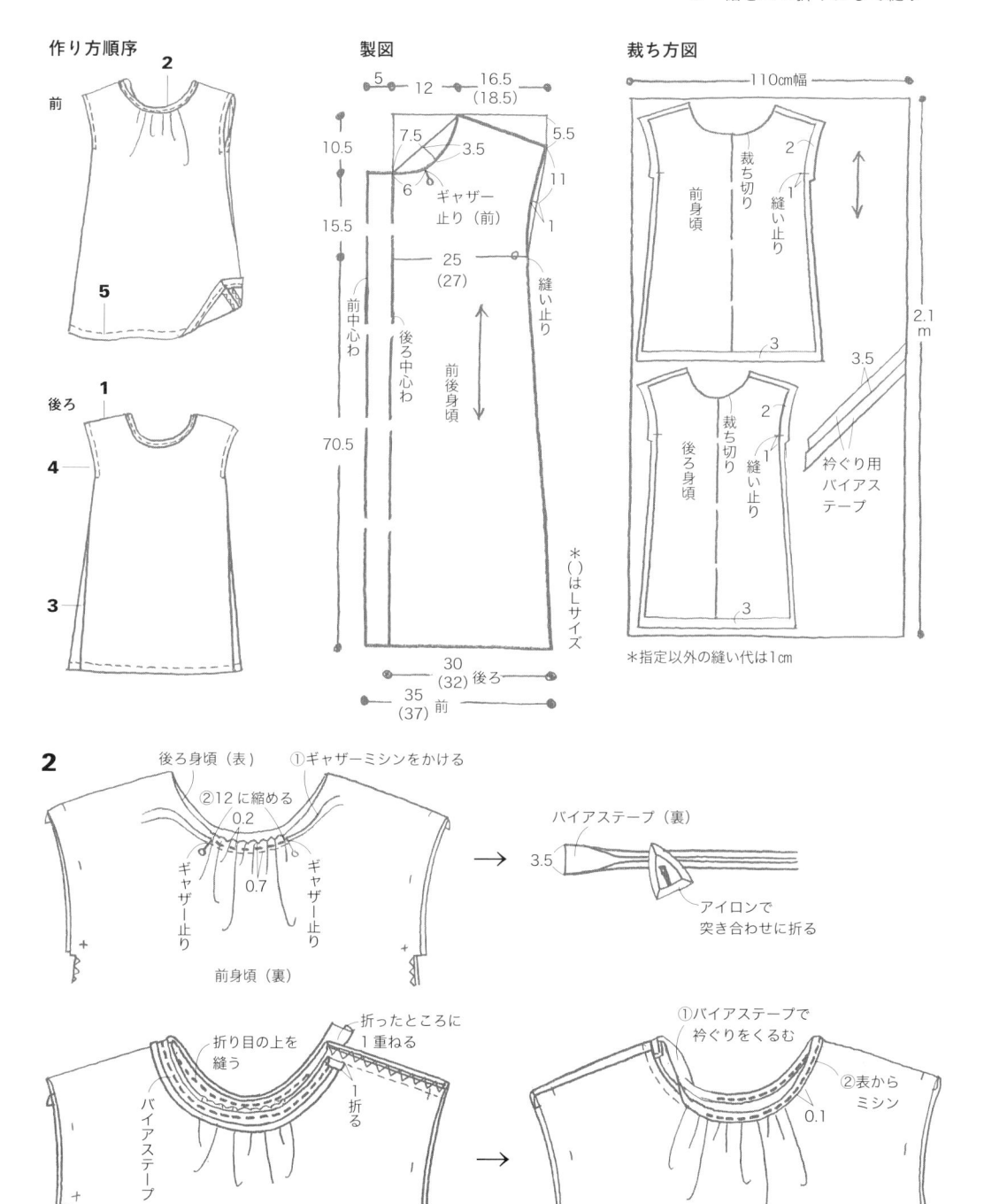

11 かっぽう着エプロン 口絵 * Page.26
kappo-gi apron

* **材料**
布［チェック／コットンウール混紡］
……110cm幅 1m
布［無地／コットンリネン混紡］
……120cm幅 1m

* **準備**
アイロンで袖口、後ろ端、裾、ポケット口を三つ折りにする。脇にジグザグミシンをかける

* **作り方**
1 ポケットを作り、つける（p.65参照）
2 肩を縫う(縫い代は2枚一緒にジグザグミシンをかけて後ろ側に倒す)
3 共布のバイアステープを作り、衿ぐりをバイアステープで始末する(p.78、89参照)
4 脇を縫う(縫い代は割る)
5 袖口を三つ折りにして縫う
6 裾を三つ折りにして縫う
7 後ろ端を三つ折りにして縫う
8 ひもを作り、つける

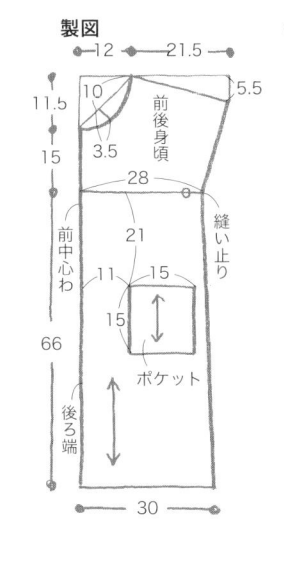

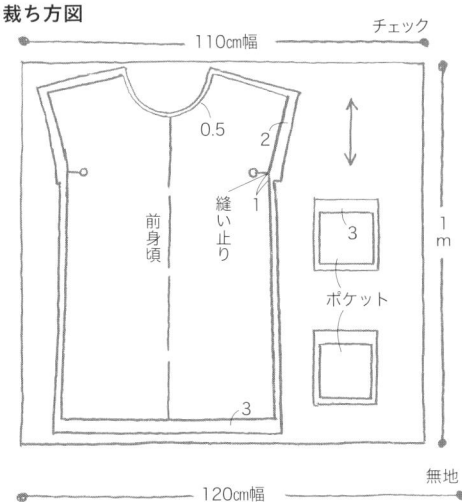

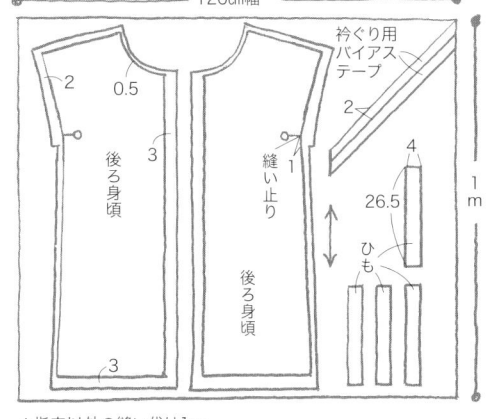

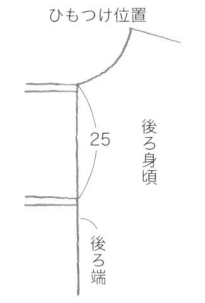

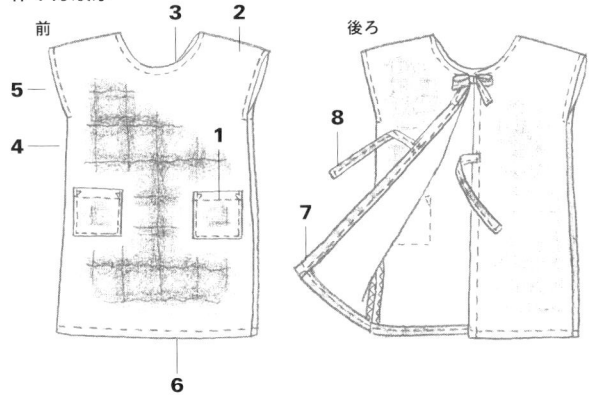

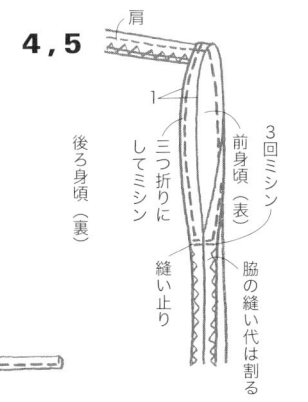

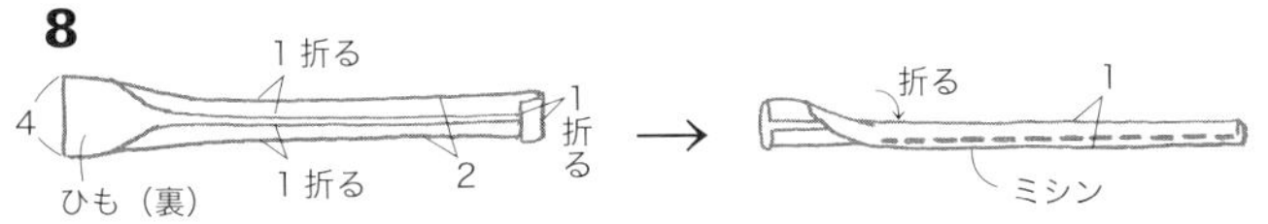

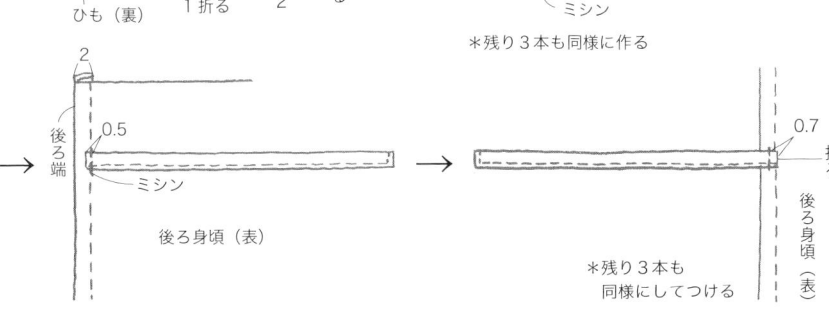

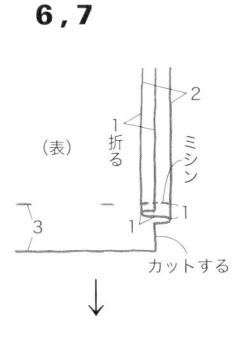

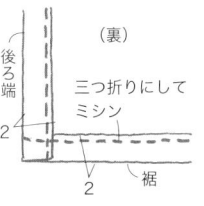

*指定以外の縫い代は1cm

10 パッチワークエプロン 口絵 ✳ Page.24

patchwork apron

✳ 材料

布[キュプラ(裏地用布)／カーキ]
　……94cm幅 1m
布[キュプラ(裏地用布)／青、紺]
　……各94cm幅 80cm
布[コットンプリント(水玉)]
　……110cm幅 40cm
綾テープ……2cm幅 3.2m

✳ 作り方

1　肩ひもを作る(p.91参照)
2　肩ひもをはさんで胸当てを縫う
3　12枚をパッチワークする
4　後ろ端を三つ折りにして縫う
5　裾を三つ折りにして縫う
6　胸当てをはさんでウエストに綾テープをつけ、そのままひもにする

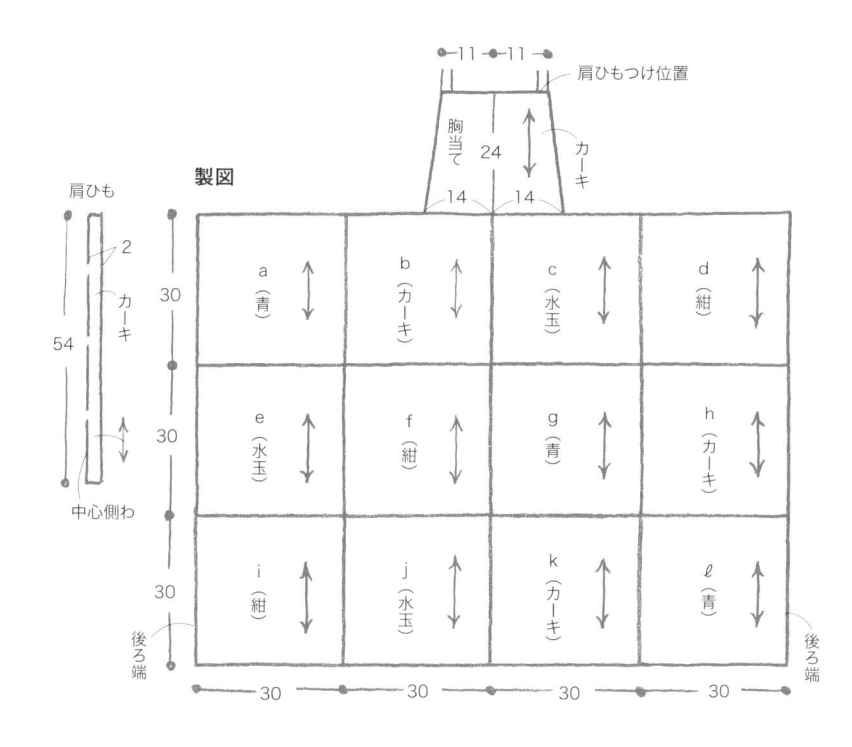

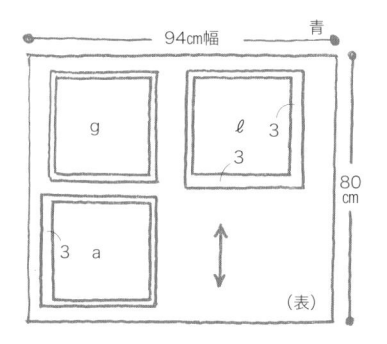

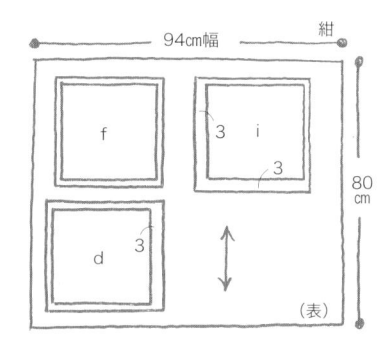

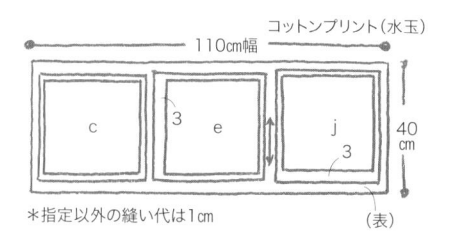

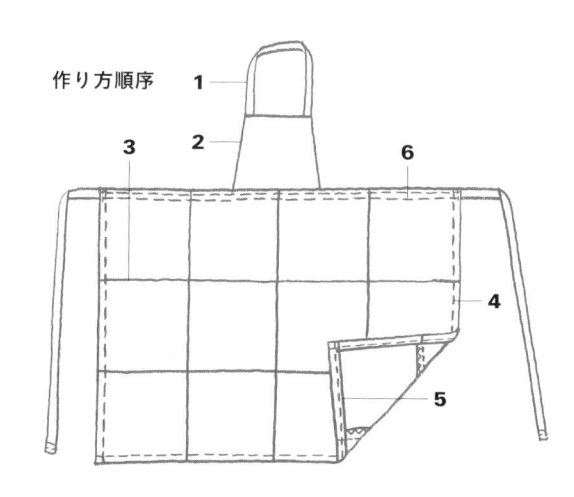

※指定以外の縫い代は1cm

3-6

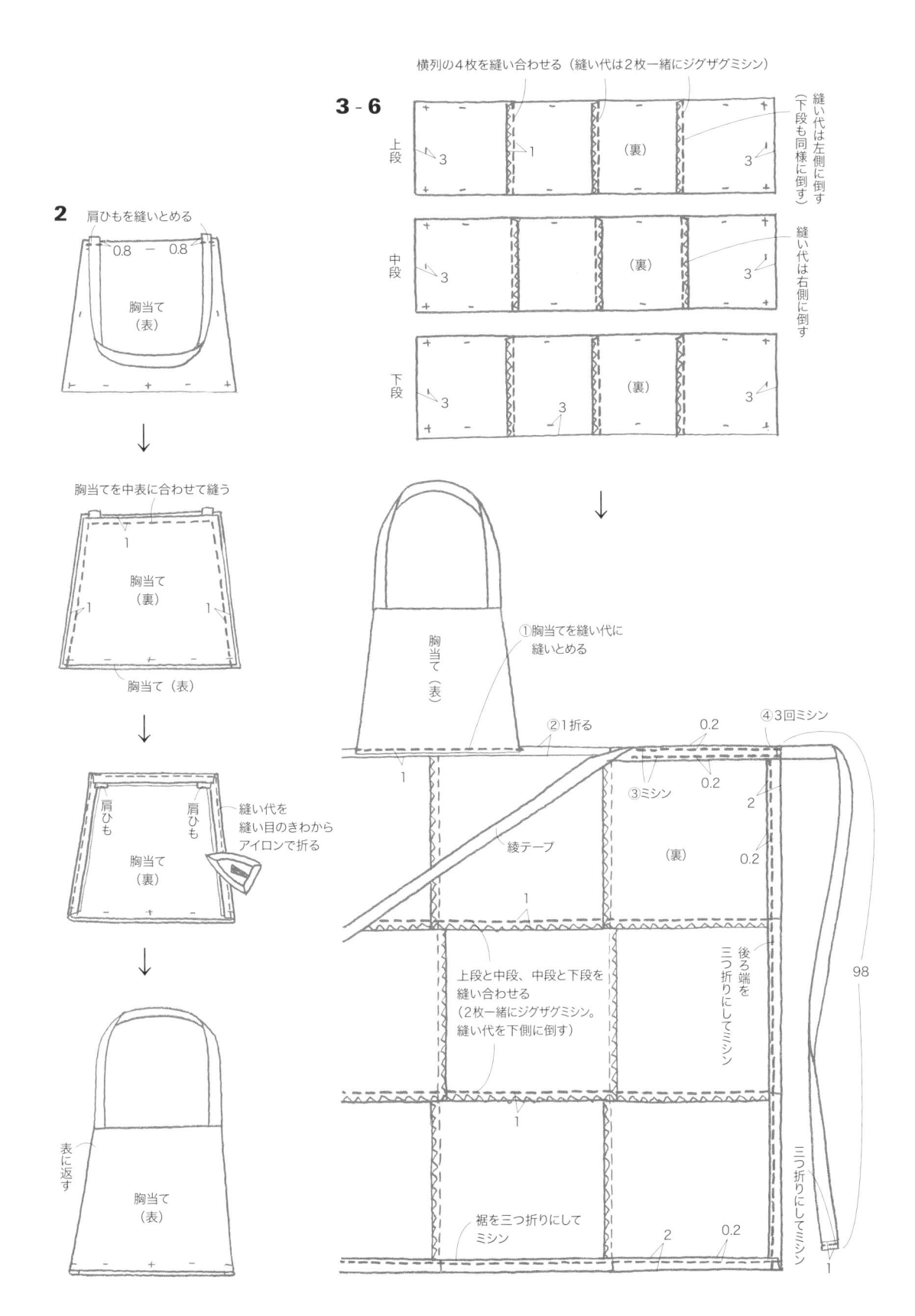

横列の4枚を縫い合わせる（縫い代は2枚一緒にジグザグミシン）

上段: 3 - 1 - (裏) - 3　縫い代は左側に倒す（下段も同様に倒す）

中段: 3 - (裏) - 3　縫い代は右側に倒す

下段: 3 - (裏) - 3 - 3

2 肩ひもを縫いとめる

0.8　0.8

胸当て（表）

↓

胸当てを中表に合わせて縫う

1　1　1

胸当て（裏）

胸当て（表）

↓

肩ひも　肩ひも

胸当て（裏）

縫い代を縫い目のきわからアイロンで折る

↓

表に返す

胸当て（表）

---

①胸当てを縫い代に縫いとめる

胸当て（表）

②1折る　0.2
③ミシン　0.2
④3回ミシン　2　0.2

綾テープ　（裏）

1

上段と中段、中段と下段を縫い合わせる
（2枚一緒にジグザグミシン。縫い代を下側に倒す）

後ろ端を三つ折りにしてミシン

1

裾を三つ折りにしてミシン　2　0.2

98

三つ折りにしてミシン

1

12 バイカラーエプロンドレス 口絵 * Page.28
bi-color apron dress

* 材料
布[コットンリネン／ブルー、グレー]
……各120cm幅 1.2m
ゴムテープ……1cm幅 80cm
(ウエストサイズに合わせて調節する)

* 準備
アイロンで袖口、裾、ポケット口を三つ折りにする。身頃とスカートの脇にジグザグミシンをかける

* 作り方
1　ポケットを作り、つける(p.65参照)
2　肩を縫う(縫い代は2枚一緒にジグザグミシンをかけて後ろ側に倒す)
3　共布のバイアステープを作り、衿ぐりをバイアステープで始末する(p.89参照)
4　身頃とスカートを縫い合わせる(縫い代は2枚一緒にジグザグミシンをかけて身頃側に倒す)
5　脇を縫う(縫い代は割る)
6　袖口を三つ折りにして縫う
7　共布のバイアステープ(当て布)をつけ、ゴムテープを通す
8　裾を三つ折りにして縫う

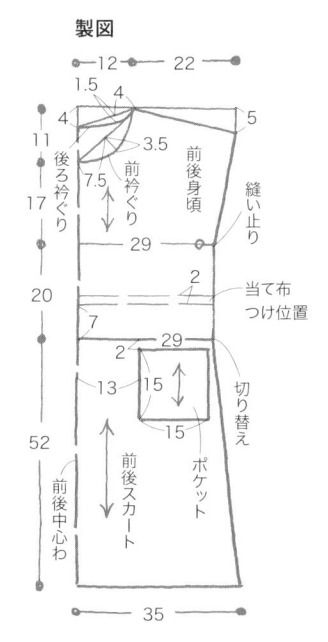

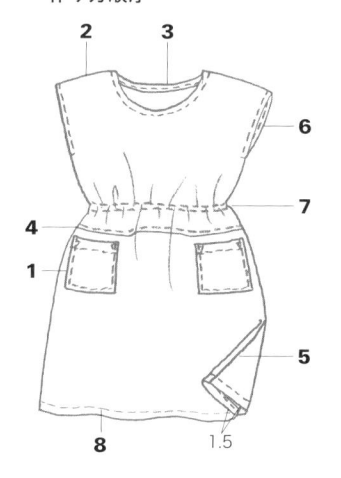

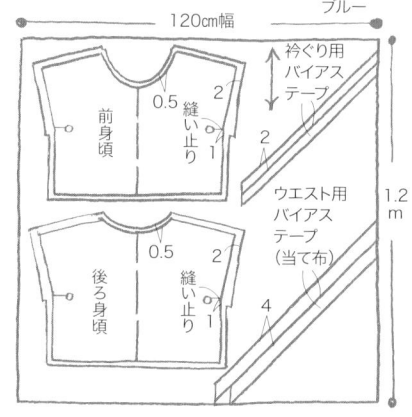

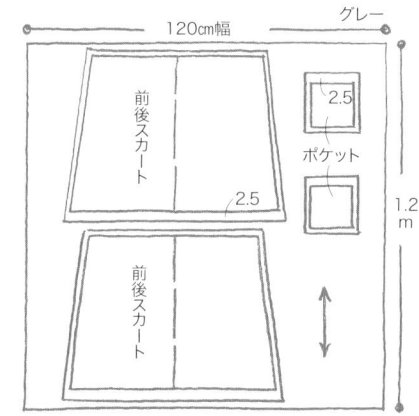

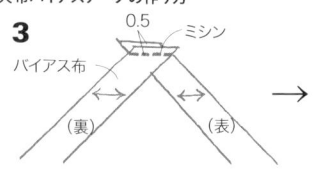

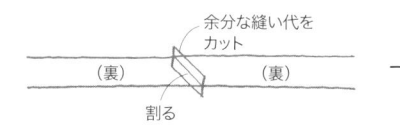

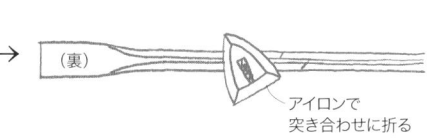

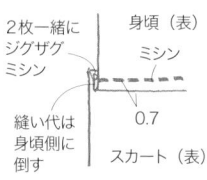

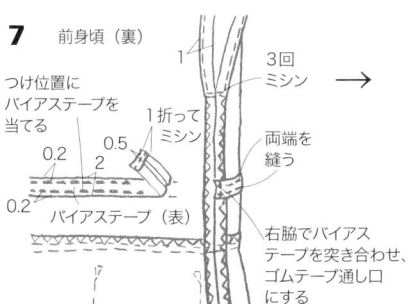

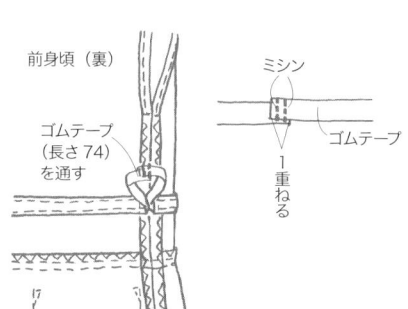

13 ジャンスカエプロン 口絵 * Page.30
jumper skirt apron

* 材料
布［コットンプリント］
……112cm幅 1.3m
布［コットンリネン］
……120cm幅 90cm
接着芯……40×20cm
ゴムテープ……1.5cm幅 30cm

* 準備
アイロンで後ろウエスト、裾、ポケット口を三つ折りにする。見返しに接着芯をはり、下側にジグザグミシンをかける

* 作り方
1 ポケットを作り、つける（p.65参照）
2 肩ひもを作る（p.71参照）
3 前の上端を見返しで始末し（p.84参照）、カーブ部分を三つ折りにして縫う
4 後ろウエストを始末する
5 脇を縫う（縫い代は2枚一緒にジグザグミシンをかけて後ろ側に倒す）
6 裾を三つ折りにして縫う
7 肩ひもを縫いとめる

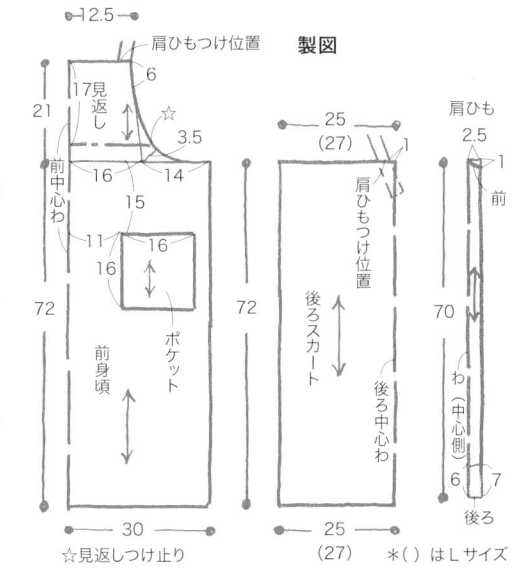

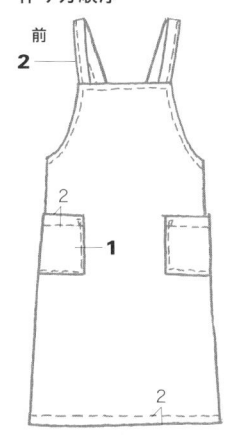

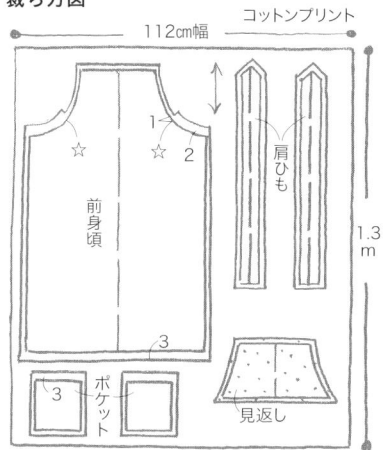

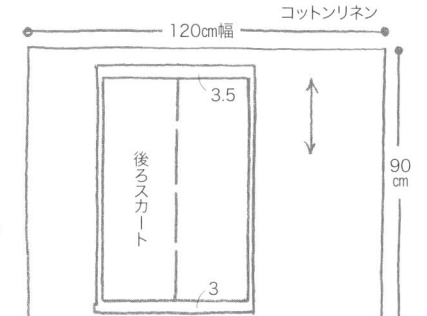

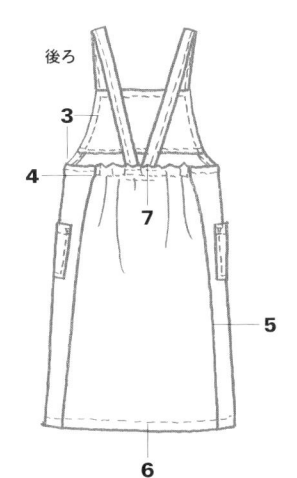

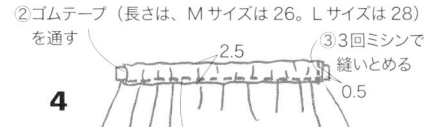

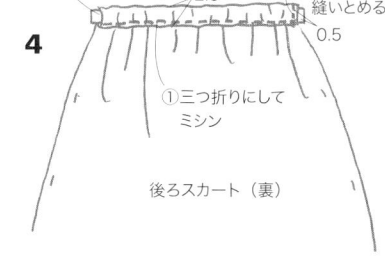

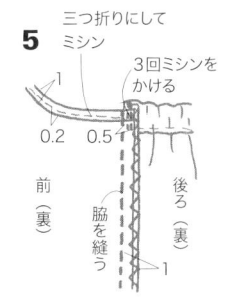

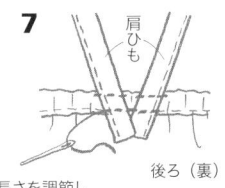

*( )はLサイズ

②ゴムテープ（長さは、Mサイズは26。Lサイズは28）を通す
③3回ミシンで縫いとめる
①三つ折りにしてミシン

長さを調節し、返し縫い（またはミシン）でつける

14 スモックエプロン 口絵 ＊Page.32

smock apron

＊**材料**
布[コットンリネン]
……106cm幅 2.6m
ゴムテープ……0.7cm幅 1.5m

＊**準備**
アロンで衿ぐり、裾、袖口、ポケット口を三つ折りにする

＊**作り方**

1　ポケットを作り、つける（p.65参照）

2　身頃の上端を縫い、ゴムテープを通す

3　袖の上端を縫い、ゴムテープを通す

4　身頃と袖を縫い合わせる（縫い代は2枚一緒にジグザグミシンをかけて身頃側に倒す）

5　袖下と脇を続けて縫う（縫い代は2枚一緒にジグザグミシンをかけて後ろ側に倒す）

6　袖口を三つ折りにして縫い、ゴムテープを通す

7　裾を三つ折りにして縫う

裁ち方図　106cm幅　2.6m

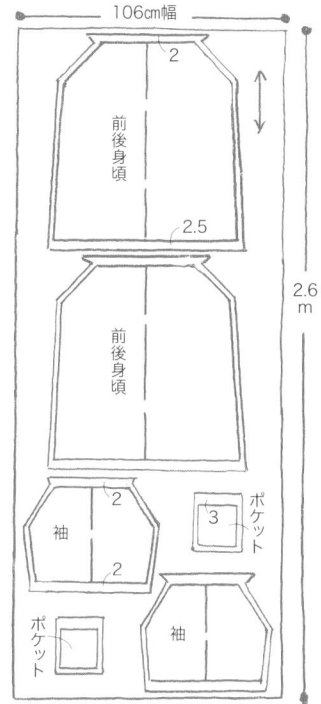

作り方順序

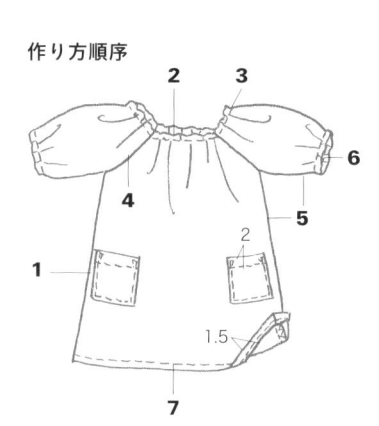

製図

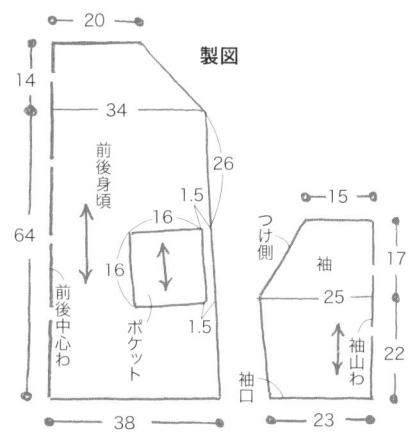

2 三つ折りにしてミシン → ①ゴムテープ（長さ20）を通す　②ミシンで縫いとめる　＊もう1枚も同様に作る

3 ①三つ折りにしてミシン　②ゴムテープ（長さ22）を通し、両端を縫いとめる　＊もう1枚も同様に作る

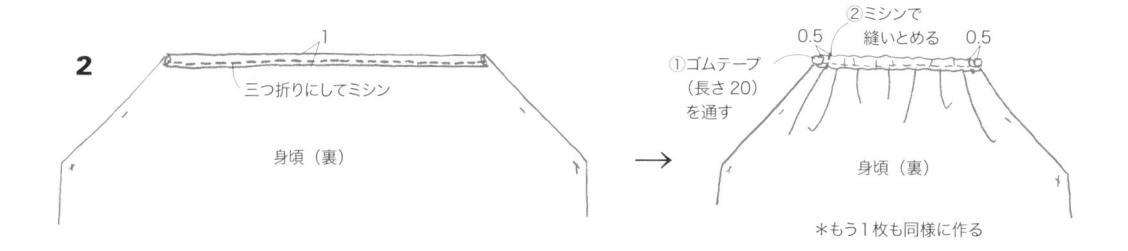

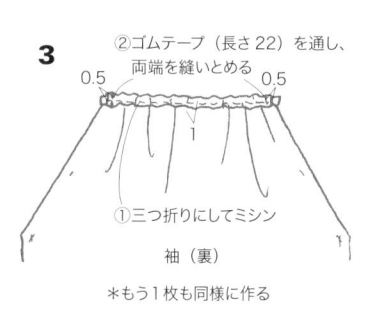

4,5 ①身頃と袖を縫い合わせる　②袖下と脇を続けて縫う　2 縫い残す　1枚だけに切り込みを入れる　割る　ゴムテープ通し口にする

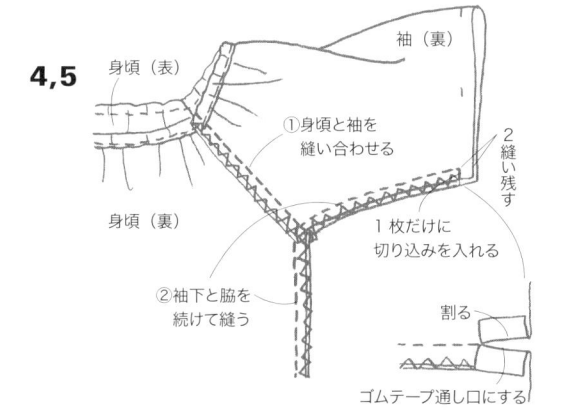

6 ゴムテープ（長さ28）を通す　三つ折りにしてミシン

＊指定以外の縫い代は1cm

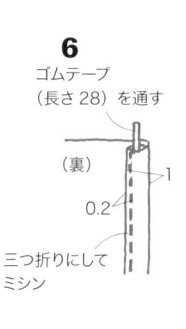

15 肩ひも結びエプロン　口絵 ✲ Page.34
shoulder bow apron

✲ 材料
布[コットンプリント]
……112cm幅 2.1m

✲ 準備
アイロンで袖ぐり、裾、ポケット口を三つ折りにする。脇にジグザグミシンをかける

✲ 作り方
1　ポケットを作り、つける（p.65参照）
2　共布バイアステープを作り（p.78参照）、衿ぐりをバイアステープで始末する
3　脇を縫う（縫い代は割る）
4　袖ぐりを三つ折りにして縫う
5　裾を三つ折りにして縫う
6　肩ひもの周囲（つけ側を除く）を三つ折りにして縫う。肩につける

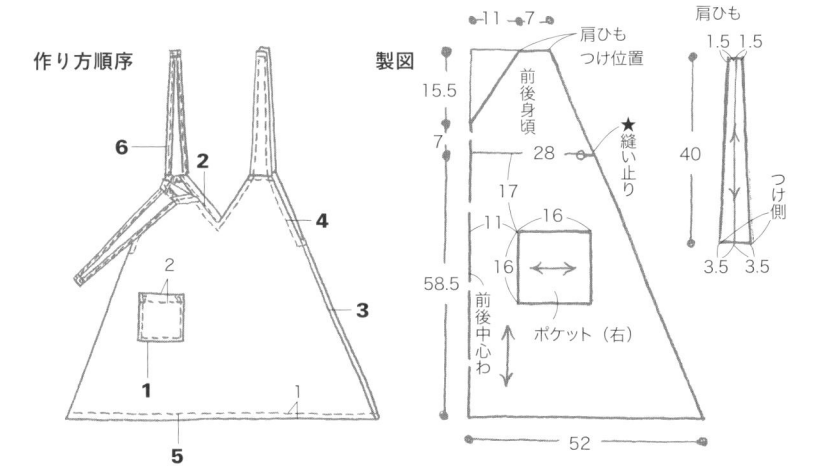

裁ち方図 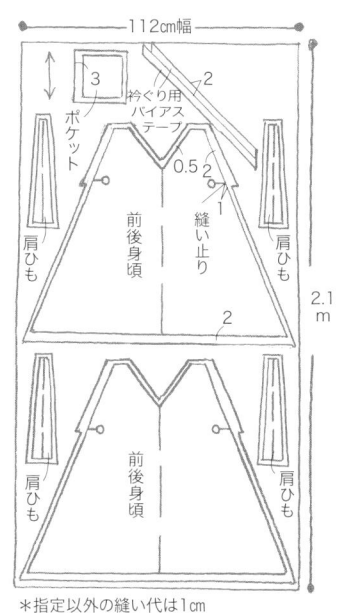
112cm幅
2.1m
＊指定以外の縫い代は1cm

作り方順序

製図
肩ひもつけ位置
前後身頃
★縫い止り
肩ひも
つけ側
前後中心わ
ポケット（右）

2
前後身頃（表）
バイアステープ（裏）
0.5 折る
中心まで縫う
ミシン
→
中心から縫う
前後身頃（表）
→
前後身頃（表）
バイアステープ（裏）
バイアステープを図のように折って縫う（身頃は縫わないように注意する）

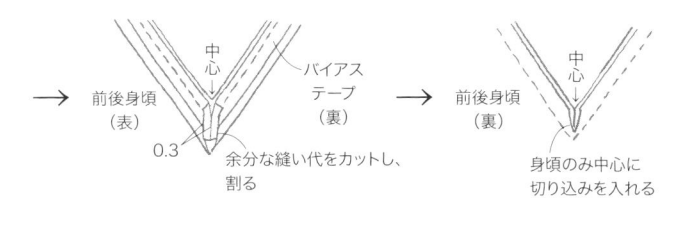

→
中心
前後身頃（表）
バイアステープ（裏）
0.3
余分な縫い代をカットし、割る
→
中心
前後身頃（裏）
身頃のみ中心に切り込みを入れる

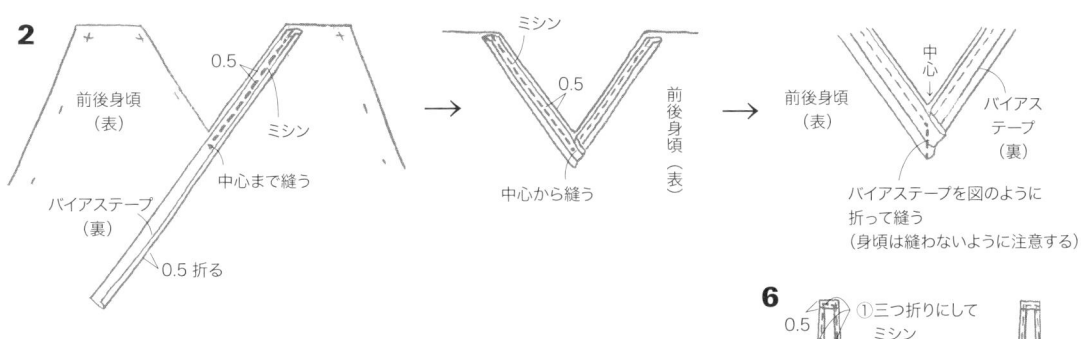

6
①三つ折りにしてミシン
肩ひも（裏）
②肩ひもをつける
③0.8 身頃側に倒してミシン
2枚一緒にジグザグミシン
前後身頃（裏）
バイアステープを表に返してミシン
袖ぐりは三つ折りにする

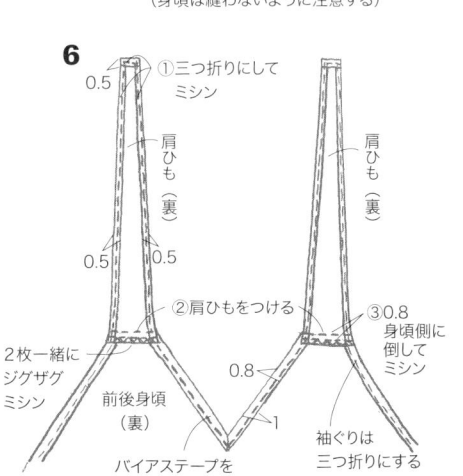

16 ラップロングエプロン 口絵 ＊Page.36
wrap long apron

＊材料
布[コットンレーヨン]
……112cm幅 2.2m

＊準備
アイロンでウエスト、前端、裾、ポケット口を三つ折りにする。脇にジグザグミシンをかける

＊作り方
1　肩ひもを作る(p.91 参照)
2　肩ひもをはさんで胸当てを縫う(p.77 参照)
3　ひも通しのあきを残して脇を縫う（縫い代は割る）
4　あきにミシンをかける
5　ポケットを作り、つける（p.65 参照)
6　ひもを作る(p.91 参照)
7　ひもをはさんで前端を三つ折りにして縫う
8　胸当てをつけ、ウエストを三つ折りにして縫う
9　裾を三つ折りにして縫う

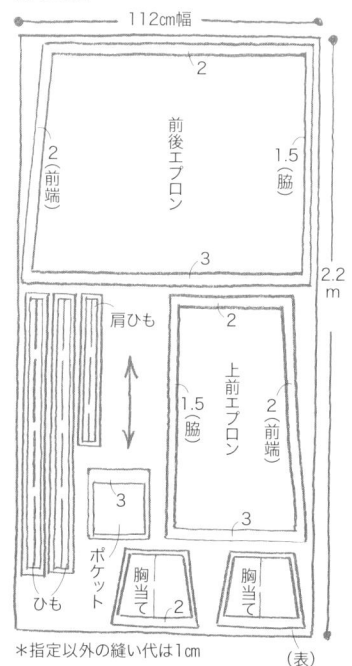

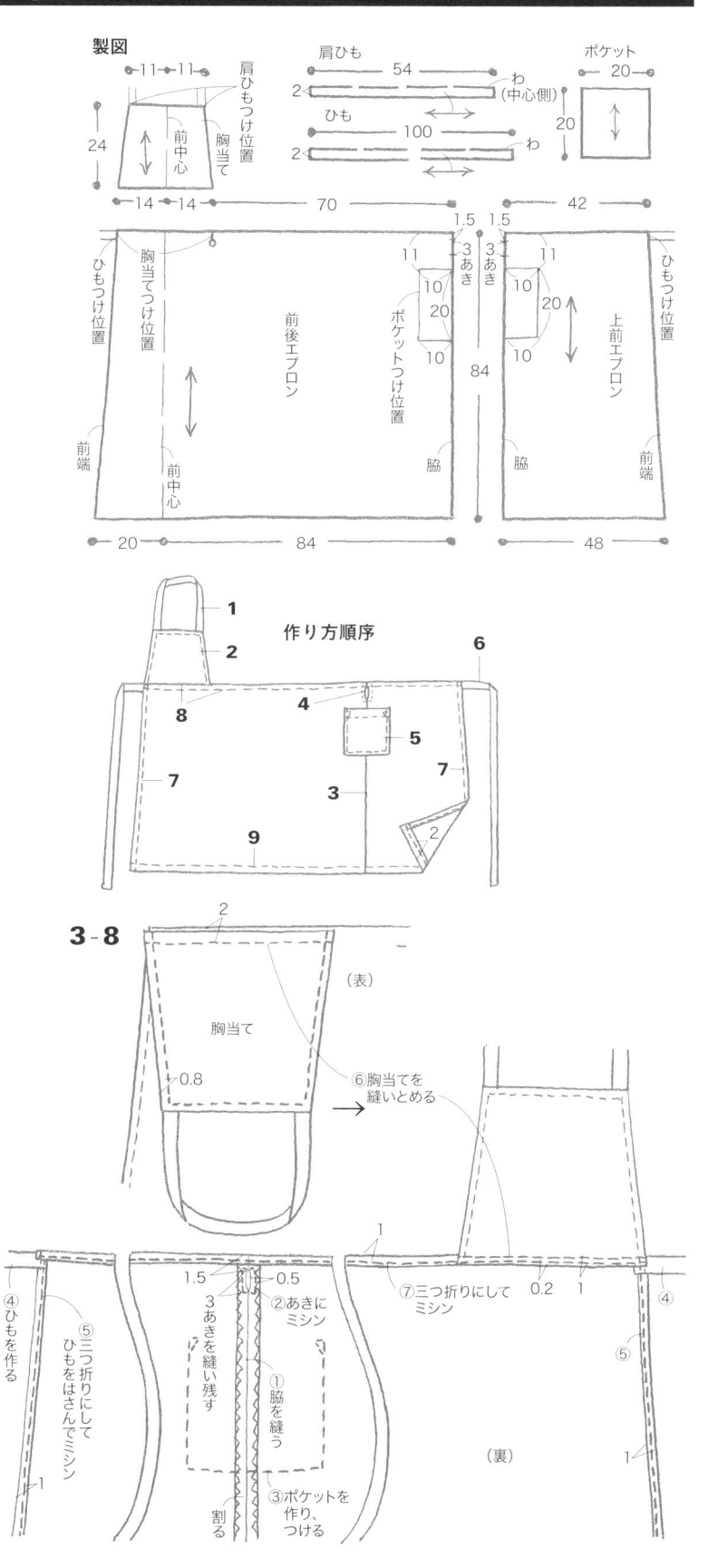

裁ち方図

＊指定以外の縫い代は1cm

製図

作り方順序

3-8

17 スモックブラウス 口絵 ＊ Page.40
smock blouse ▶

＊材料
布［コットンレーヨン］
　……116cm幅 1.3m
ゴムテープ……1.5cm幅 1.7m

＊準備
アイロンであき（衿ぐり）、袖口、裾を三つ折りにする。前後中心（★～裾）にジグザグミシンをかける

＊作り方
1 前後中心を縫う（縫い代は割る）
2 あき（衿ぐり）を三つ折りにして縫う（p.72の袖口参照）
3 袖口を三つ折りにして縫い、ゴムテープを通す
4 脇を縫う（縫い代は2枚一緒にジグザグミシンをかけて片側に倒す）
5 裾を三つ折りにして縫い、ゴムテープを通す

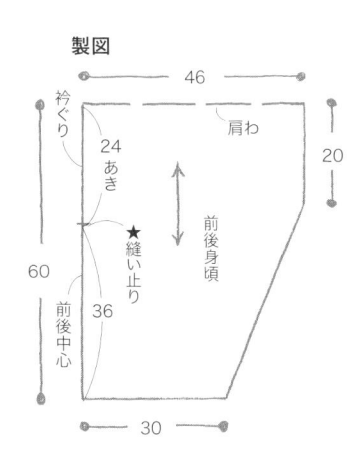

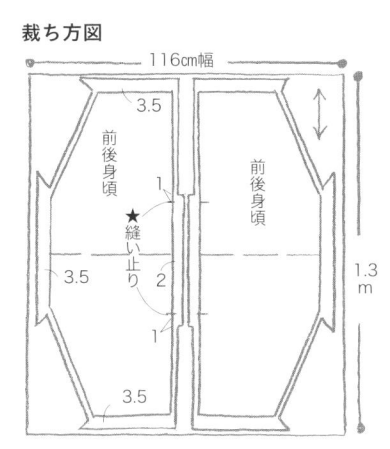

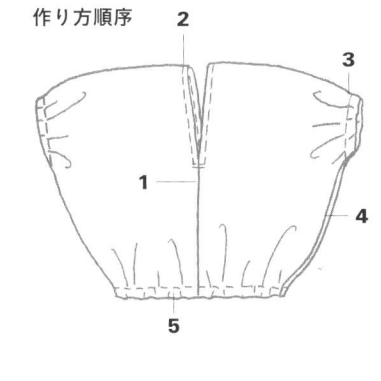

製図

- 衿ぐり
- 24 あき
- 60
- 前後中心
- 46 肩わ
- 20
- 前後身頃
- ★縫い止り
- 36
- 30

裁ち方図

- 116cm幅
- 3.5
- 前後身頃
- ★縫い止り
- 3.5 / 2 / 1
- 1.3m
- 3.5

＊指定以外の縫い代は1cm

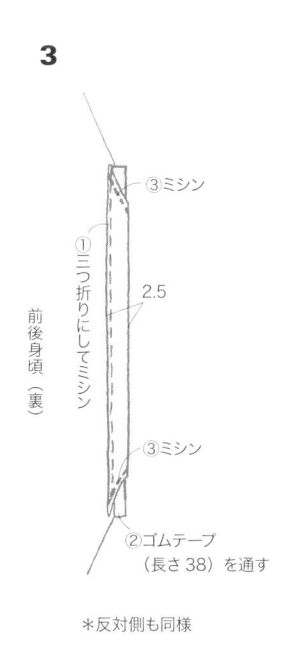

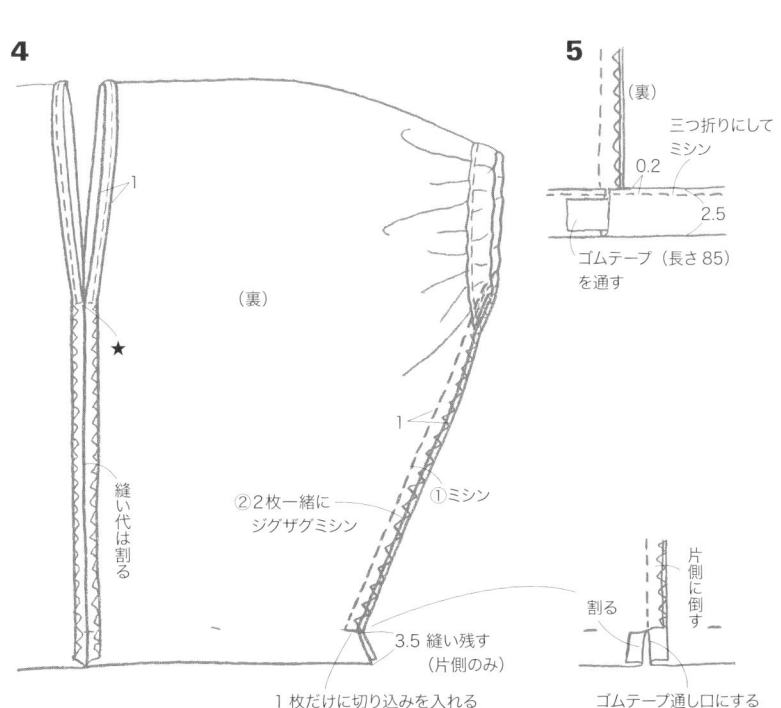

作り方順序
2 / 3 / 1 / 4 / 5

3
- ③ミシン
- ①三つ折りにしてミシン
- 2.5
- 前後身頃（裏）
- ③ミシン
- ②ゴムテープ（長さ38）を通す
- ＊反対側も同様

4
- 1
- （裏）
- ★
- 縫い代は割る
- ②2枚一緒にジグザグミシン
- ①ミシン
- 1
- 3.5 縫い残す（片側のみ）
- 1枚だけに切り込みを入れる

5
- （裏）
- 三つ折りにしてミシン
- 0.2
- 2.5
- ゴムテープ（長さ85）を通す
- 片側に倒す
- 割る
- ゴムテープ通し口にする

18 サロンエプロン 口絵 ＊ Page.42
salon apron

＊ 材料
布[コットンリネン]……104cm幅2m
接着芯……40×30cm

＊ 準備
アイロンで前のカーブ部分、後ろウエスト、後ろ端、裾、ポケット口を三つ折りにする。見返しに接着芯をはる。見返しの下側、脇にジグザグミシンをかける

＊ 作り方
1 肩ひもを作る(p.91参照)
2 上端を見返しで始末する
3 ひも通しのあきを残して脇を縫う
4 あきにミシンをかける
5 前のカーブ部分から後ろウエストを続けて三つ折りにして縫う
6 後ろ端を三つ折りにして縫う
7 ポケットを作り、つける（p.65参照）
8 ベルト通しを作り、つける
9 ひもを作り(p.75参照)、つける
10 裾を三つ折りにして縫う

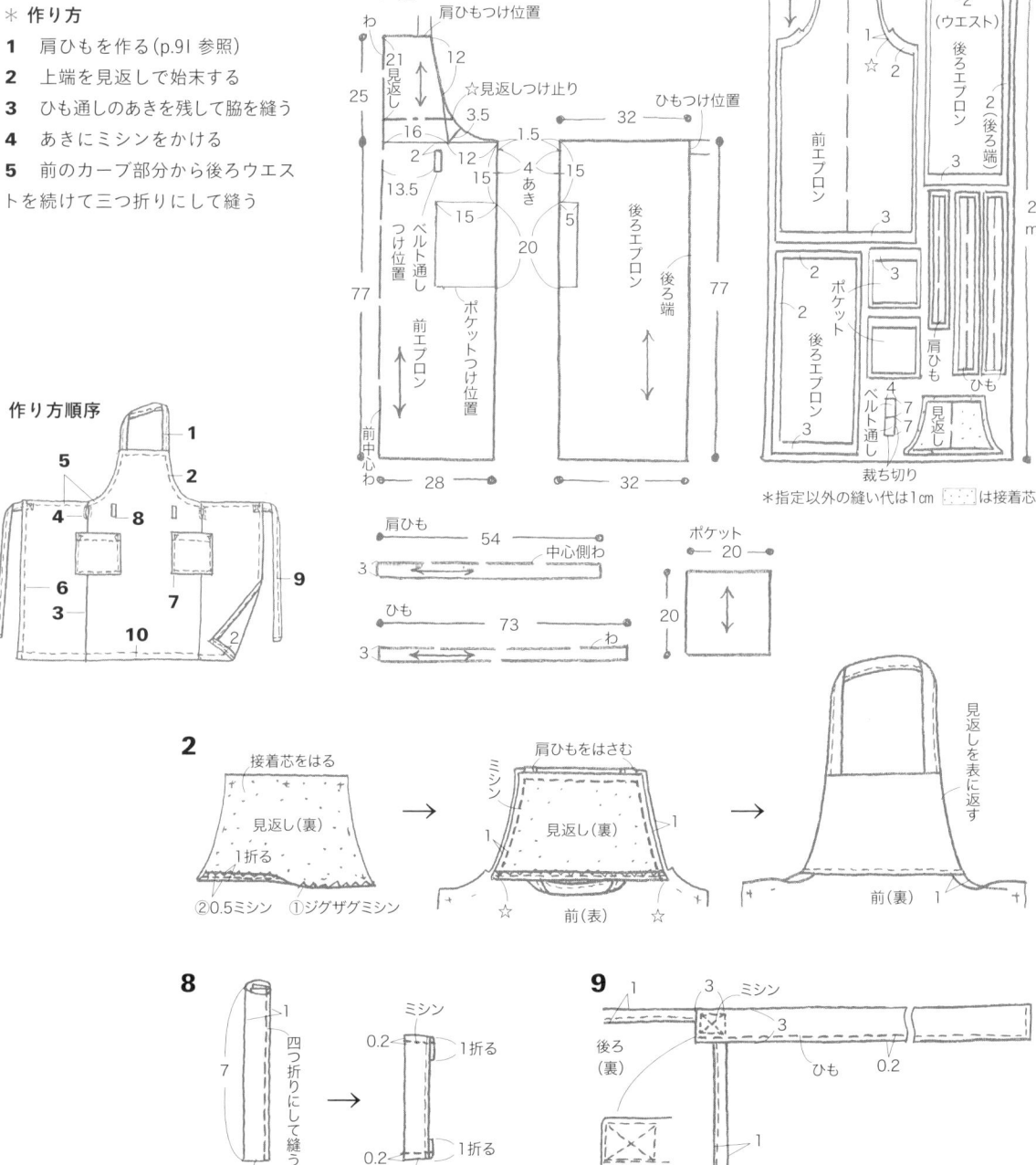

19 フリル袖ワンピース 口絵 ＊ Page.44
frill sleeve one-piece dress

＊ 材料
布[コットンストライプ]
　……112cm幅 2.5m

＊ 準備
アイロンで袖口、裾を三つ折りにする。袖のつけ側と袖下、前後の脇にジグザグミシンをかける

＊ 作り方
1　肩を縫う(縫い代は2枚一緒にジグザグミシンをかけて片側に倒す)
2　共布のバイアステープを作り、衿ぐりをバイアステープで始末する(p.78、89参照)
3　袖のつけ側にギャザーを寄せて袖をつける
4　袖下を縫う(縫い代は割る)
5　脇を縫う(縫い代は割る)
6　袖口を三つ折りにして縫う
7　裾を三つ折りにして縫う

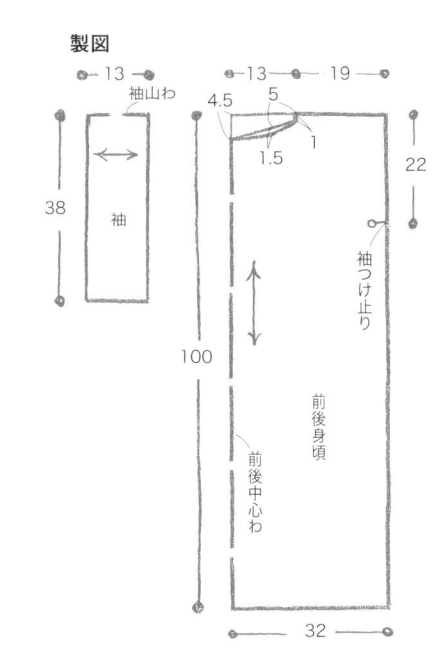

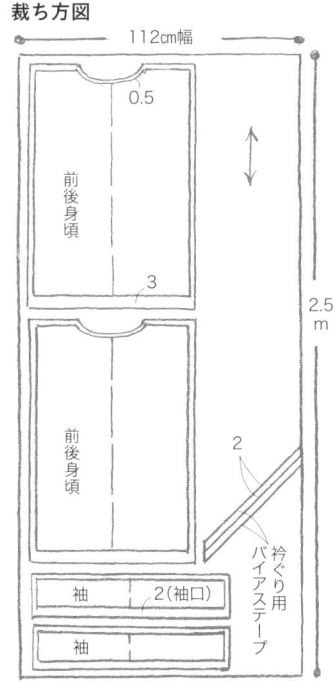

製図

裁ち方図

＊指定以外の縫い代は1cm

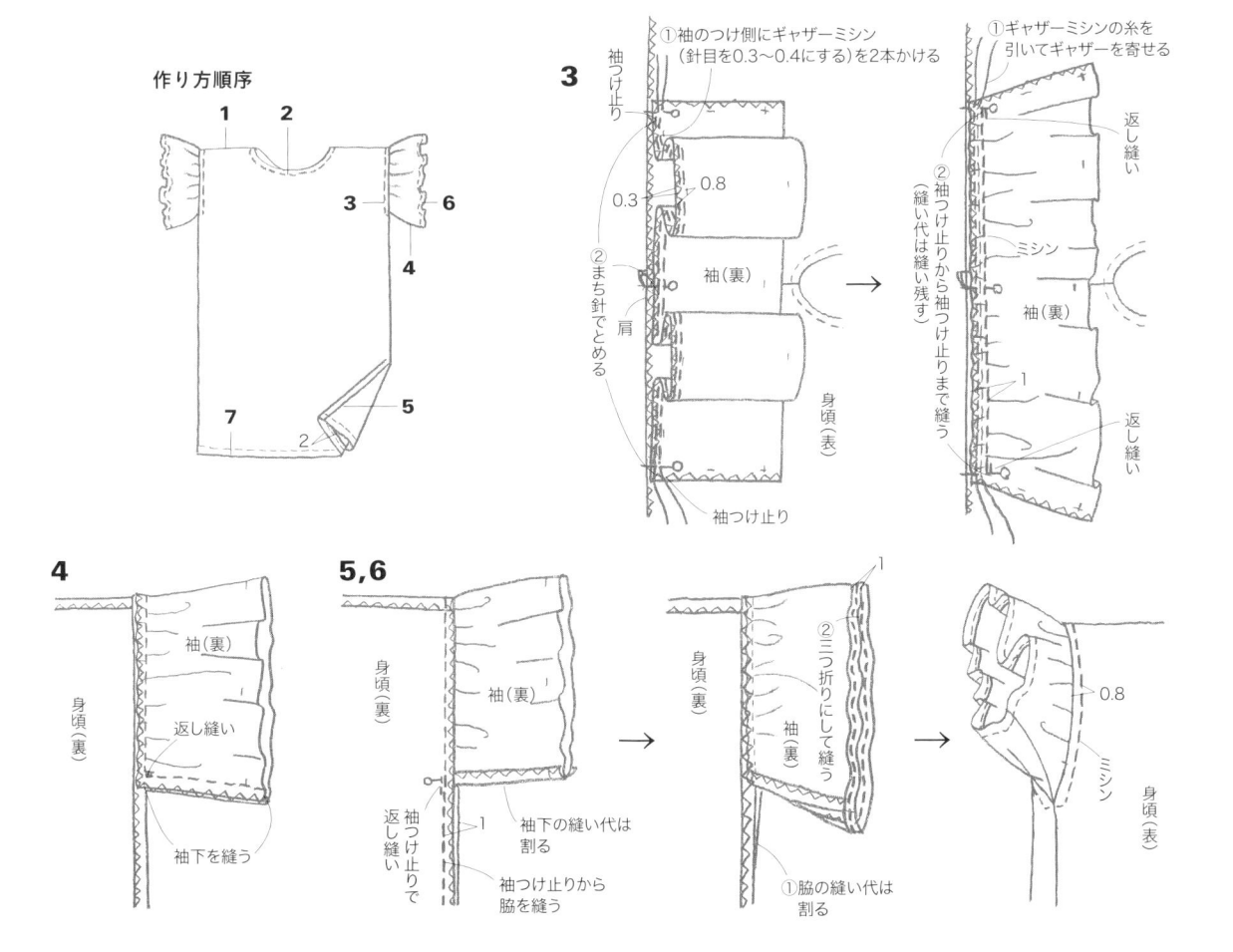

作り方順序

20 Tラインワンピース　口絵 ＊ Page.46
T line one-piece dress

＊材料
布［コットンスエット］……175cm幅 1.4m
伸び止め接着テープ……1cm幅 70cm

＊準備
衿ぐりに伸び止め接着テープをはる。
アイロンで衿ぐり、袖口、裾を二つ折りにする。
身頃の肩と袖つけ位置、袖のつけ側にジグザグミシンをかける

＊作り方
1　肩を縫う（縫い代は割る）
2　衿ぐりを二つ折りにしてジグザグミシンで縫いとめる
3　フリルを作り、つける
4　袖をつける（縫い代は割る）
5　袖下から脇を続けて縫う（縫い代は2枚一緒にジグザグミシンをかけて後ろ側に倒す）
6　袖口を二つ折りにして縫う
7　裾を二つ折りにして縫う

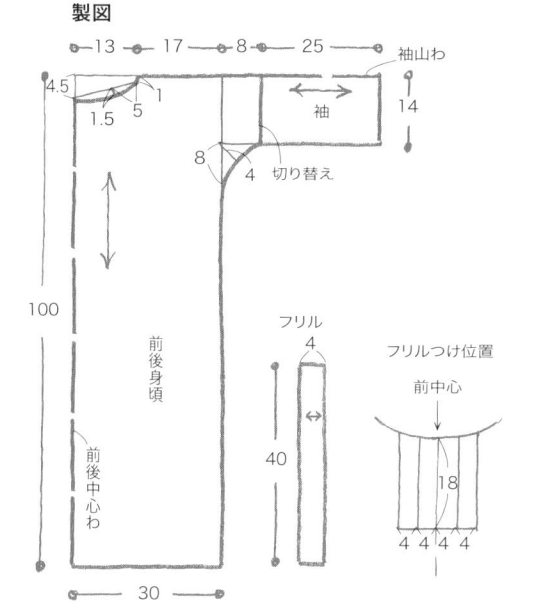

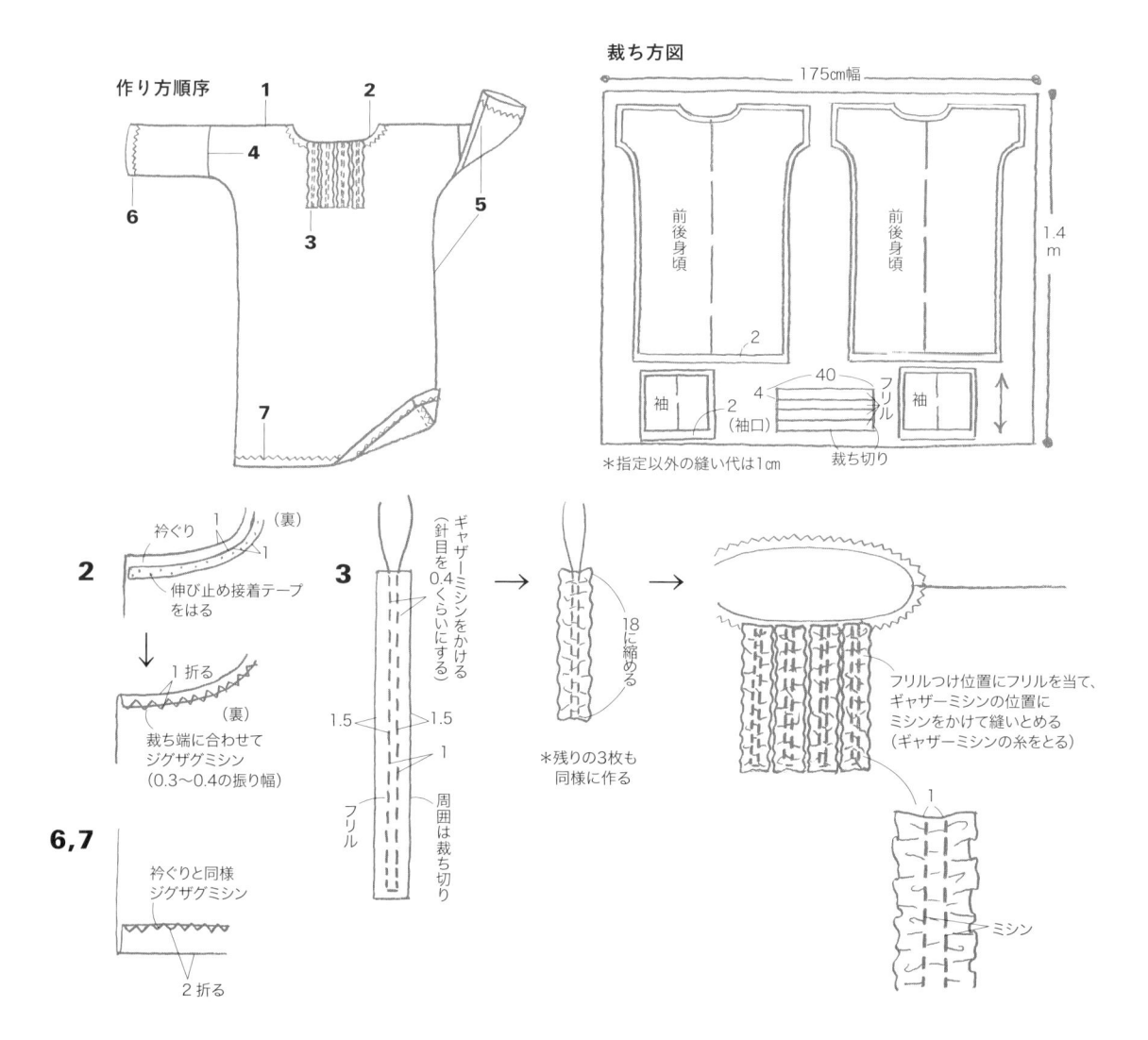

製図

裁ち方図

作り方順序

2　衿ぐり　伸び止め接着テープをはる
裁ち端に合わせてジグザグミシン（0.3～0.4の振り幅）

3　ギャザーミシンをかける（針目を0.4くらいにする）
フリル　周囲は裁ち切り
18に縮める
＊残りの3枚も同様に作る
フリルつけ位置にフリルを当て、ギャザーミシンの位置にミシンをかけて縫いとめる（ギャザーミシンの糸をとる）
ミシン

6,7　衿ぐりと同様ジグザグミシン
2折る

21 ミニエプロンつきジャンスカエプロン 口絵 ✱ Page.48
mini apron & jumper skirt apron ▶

✱ 材料
ジャンスカエプロン
布[リネンストライプ]……154cm幅 1.2m
接着芯……50 × 40cm
ミニエプロン
布[リネン]……110cm幅 60cm
綾テープ……2cm幅 2.1m

✱ 準備
アイロンでジャンスカエプロンのポケット口、裾、ミニエプロンのポケット口、両端、裾を三つ折りにする。ジャンスカエプロンの見返し、肩ひもに接着芯をはる

✱ 作り方
ジャンスカエプロン
1　ポケットを作り、つける（p.65参照）
2　肩ひもを作る（p.71参照）
3　脇を縫う
4　共布のバイアステープを作り（p.78参照）、上端と袖ぐりを見返しとバイアステープで始末する
5　裾を三つ折りにして縫う

ミニエプロン
1　ポケットを作り、つける（p.73参照）
2　両端を三つ折りにして縫う
3　裾を三つ折りにして縫う
4　ウエストに綾テープをつけ、そのままひもにする（p.65参照）

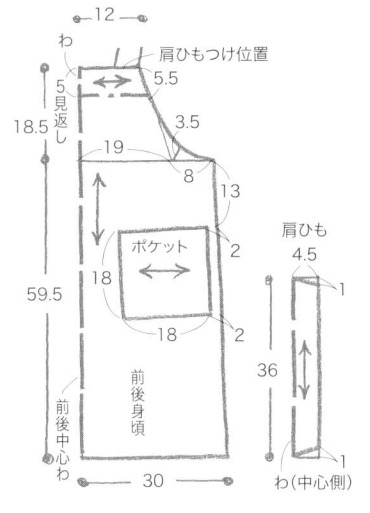

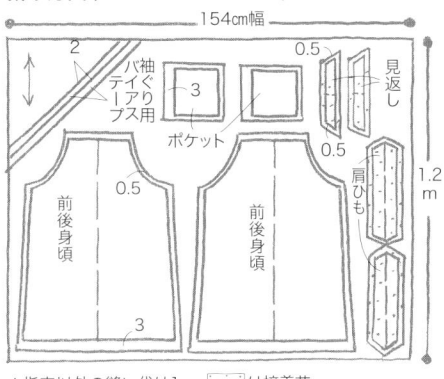

※指定以外の縫い代は1cm　▨は接着芯

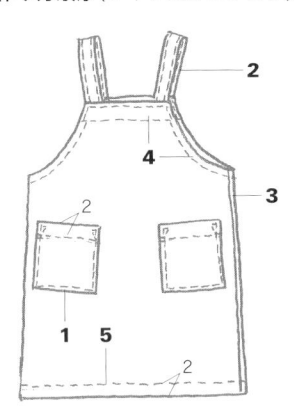

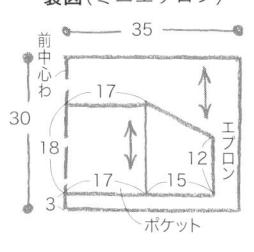

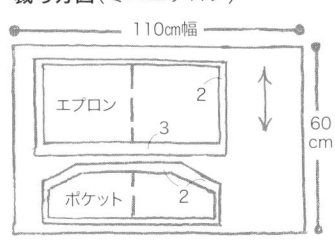

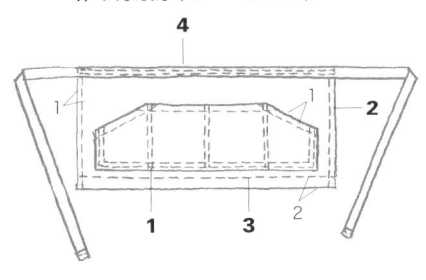

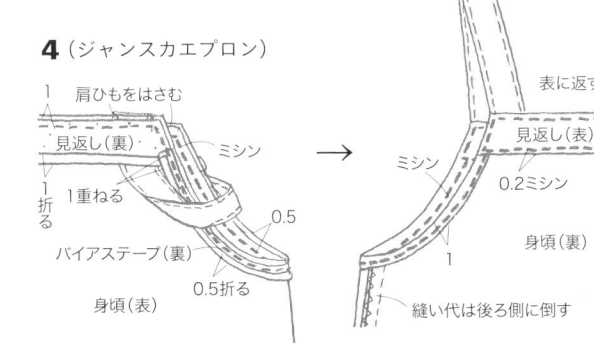

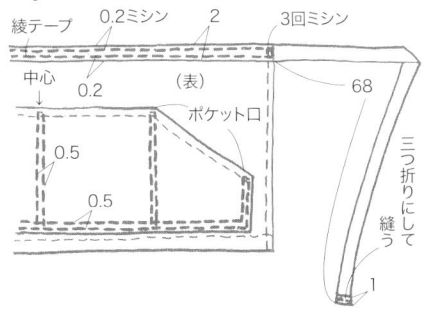

22 ブラックエプロン 口絵 ＊ Page.50

black apron

＊ 材料
布［キュプラ］……128cm幅 1m

＊ 準備
アイロンでポケット口、後ろ端、裾を三つ折りにする

＊ 作り方

1 ポケットを作り、つける（p.65参照）
2 後ろ端を三つ折りにして縫う
3 裾を三つ折りにして縫う
4 ひもを作る(p.91参照)
5 ウエストにギャザーを寄せてベルトをつけ、ひもをつける

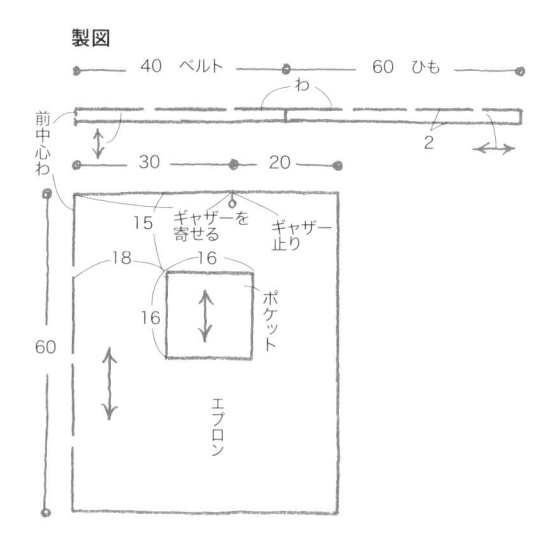

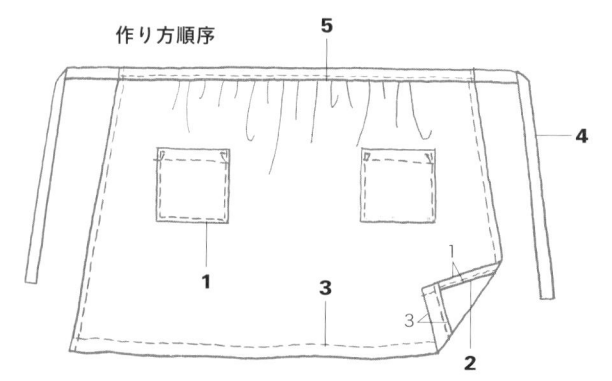

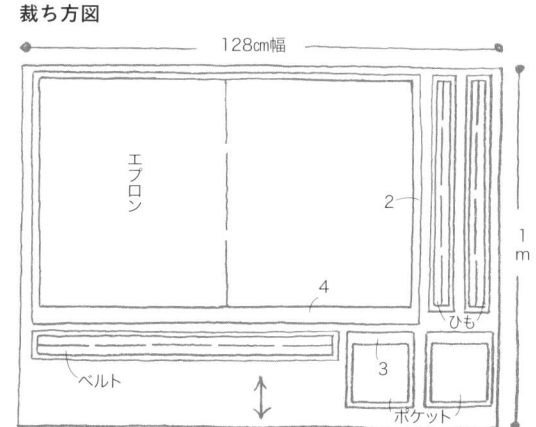

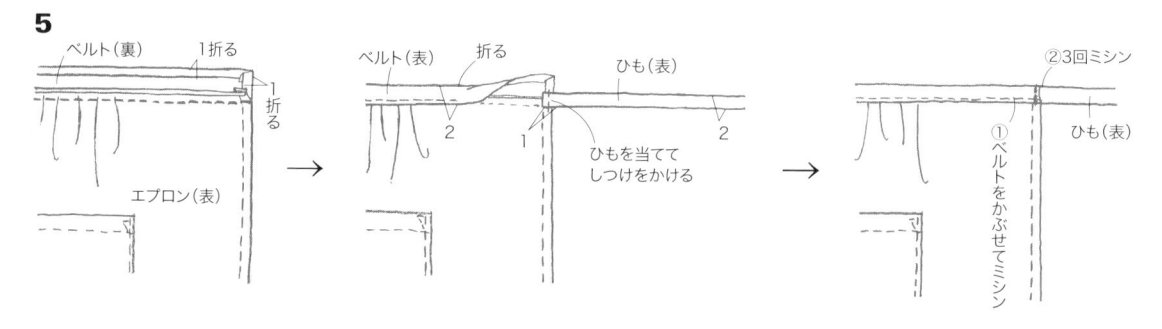

24 ラッピングワンピース 口絵 * Page.54
wrapping one-piece dress

* **材料**
布［コットンリネン混紡］……112cm
幅 2.5m

* **準備**
アイロンで袖口、裾を三つ折りにする

* **作り方**

1 肩を縫う（縫い代は2枚一緒にジグザグミシンをかけて片側に倒す）
2 共布のバイアステープを作り（p.78参照）、衿ぐりをバイアステープで始末する
3 ひもを作る（p.91参照）
4 裾を三つ折りにして縫う
5 袖口を三つ折りにして縫う
6 ひもをはさみ、袖下から脇を続けて縫う（p.91参照。縫い代は2枚一緒にジグザグミシンをかけて片側に倒す）
7 脇にミシンをかける（p.91参照）

* **製図** p.90参照

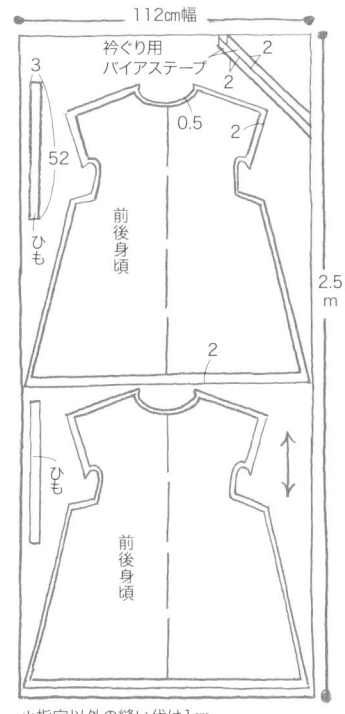

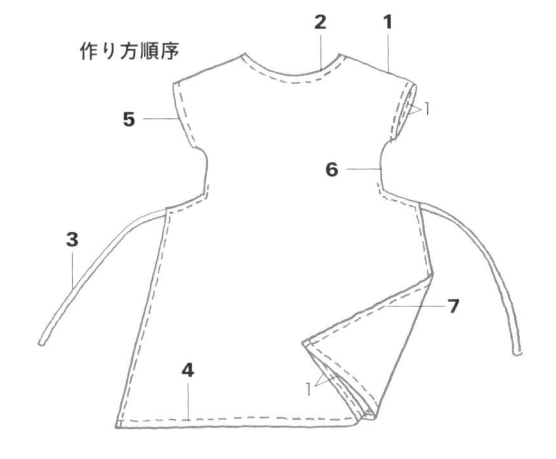

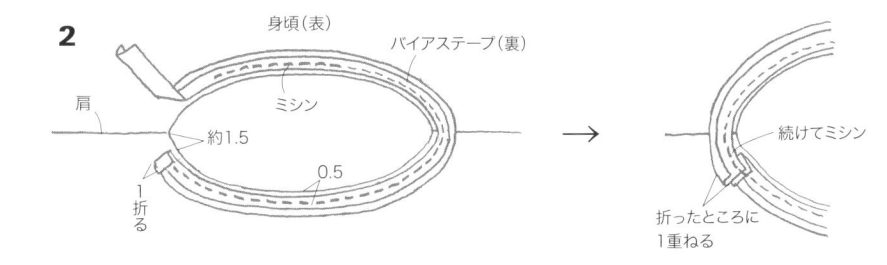

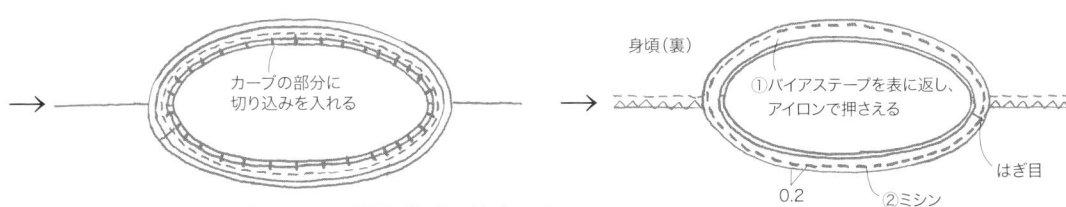

23 ラッピングチュニック 口絵 ✳ Page.52
wrapping tunic

✻ 材料
布[コットンウール混紡ニット地]
　……110cm幅 2.1m
伸び止め接着テープ……1cm幅 70cm

✻ 準備
衿ぐりに伸び止め接着テープをはる（p.86参照）。アイロンで袖口、裾を二つ折りにする。身頃の肩と袖つけ位置、袖のつけ側にジグザグミシンをかける

✻ 作り方
1　肩を縫う（縫い代は割る）
2　衿ぐりを二つ折りにしてジグザグミシンで縫いとめる
3　ひもを作る
4　袖をつける（縫い代は割る）
5　裾を二つ折りにしてジグザグミシンで縫いとめる
6　ひもをはさみ、袖下から脇を続けて縫う（縫い代は2枚一緒にジグザグミシンをかけて片側に倒す）
7　脇にミシンをかける
8　袖口を二つ折りにしてジグザグミシンで縫いとめる

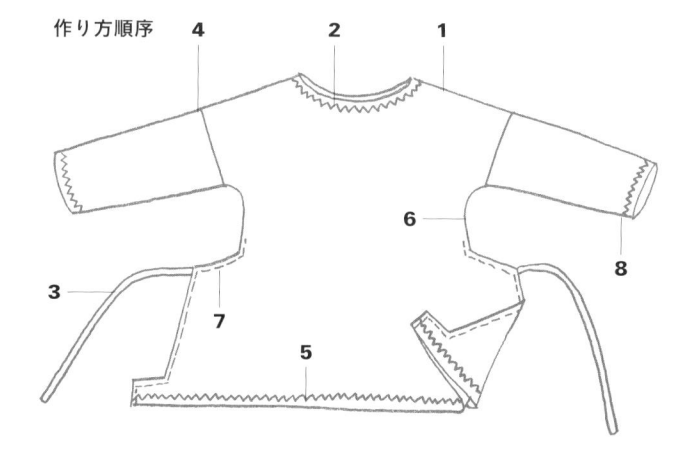

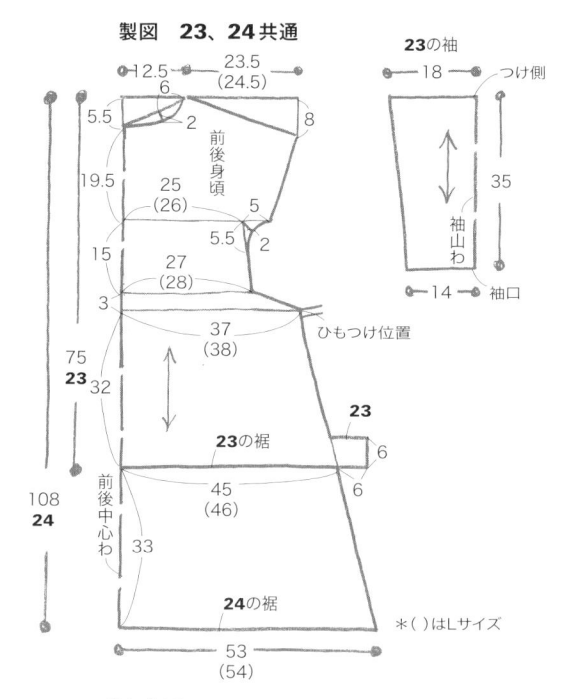

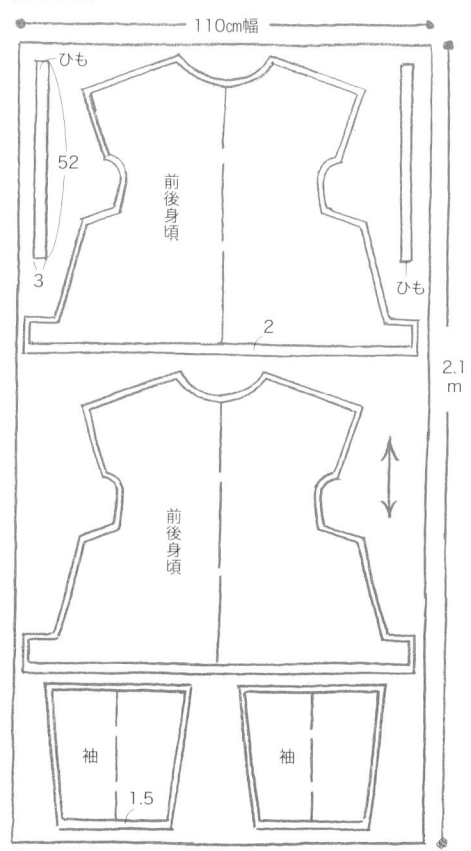

製図　23、24共通

23の袖

裁ち方図

*( )はLサイズ

作り方順序

*指定以外の縫い代は1cm

2

1 / 二つ折りにして
ジグザグミシンをかけて
縫いとめる

3

ひも(裏) 0.8
0.5
カットする ミシン 1.5

→ 表に返す

4

前後身頃(表)
袖(裏) 1
ミシン

→ 前後身頃(裏)
割る
袖(裏)
前後身頃(裏)

5 - 8

前後身頃(裏)
袖(裏)
③袖下と脇を続けて縫い、
2枚一緒にジグザグミシン
④切り込みを入れる
②ひもをはさむ
①裾を二つ折りにして
ジグザグミシンをかけて
縫いとめる
④切り込みを入れる
2

→

①表に返す
③袖口を二つ折りにして
ジグザグミシンをかけて
縫いとめる
1.5
前後身頃(表)
0.5
1.5
②ミシン

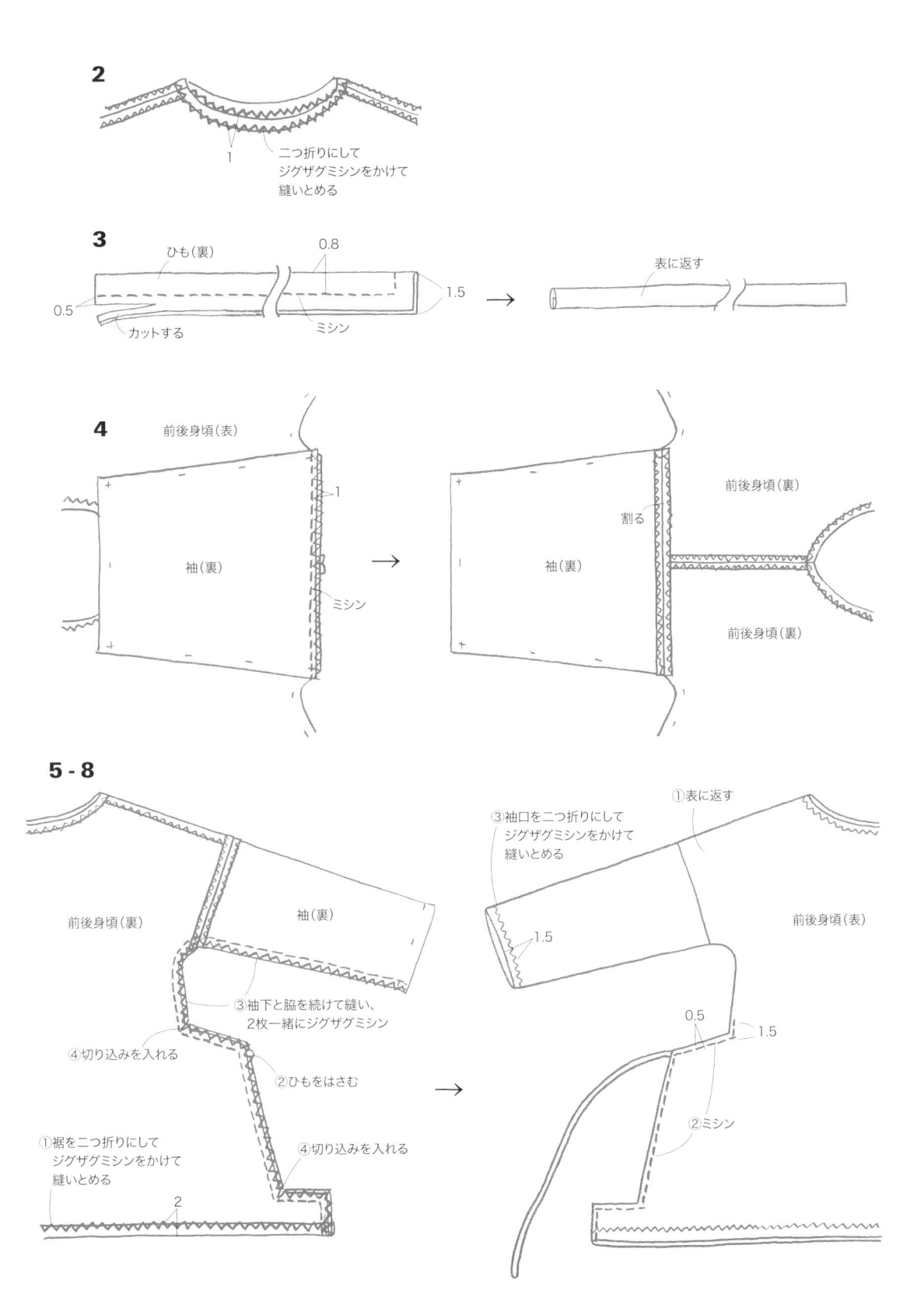

25 ブラックサロンエプロン 口絵 ＊ Page.56

black salon apron

＊材料
布[ポリエステルジョーゼット]
　……112cm幅 1.8m
バイアステープ
　……12.7mm幅 1.2m

＊準備
アイロンで後ろ端、裾を三つ折りにする

＊作り方
1　肩ひもを作る(p.91参照)
2　肩ひもをはさみ、見返しとバイアステープで上端からウエストを始末する(p.87参照)
3　ひもを作る(p.91参照)
4　ひもをはさみ、後ろ端を三つ折りにして縫う
5　裾を三つ折りにして縫う
6　フリルa、b、cを作り、つける

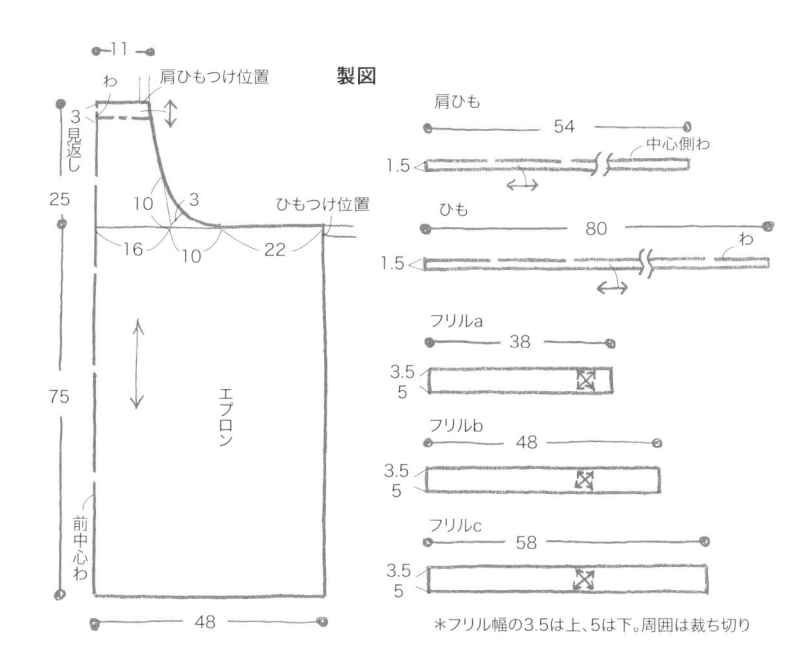

＊フリル幅の3.5は上、5は下。周囲は裁ち切り

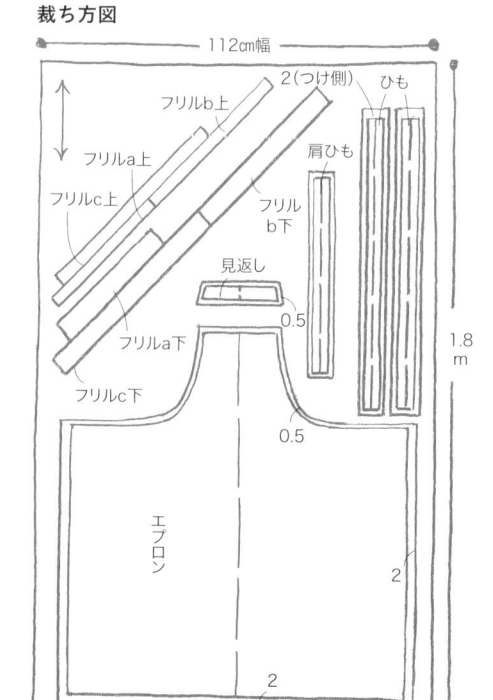

＊指定以外の縫い代は1cm

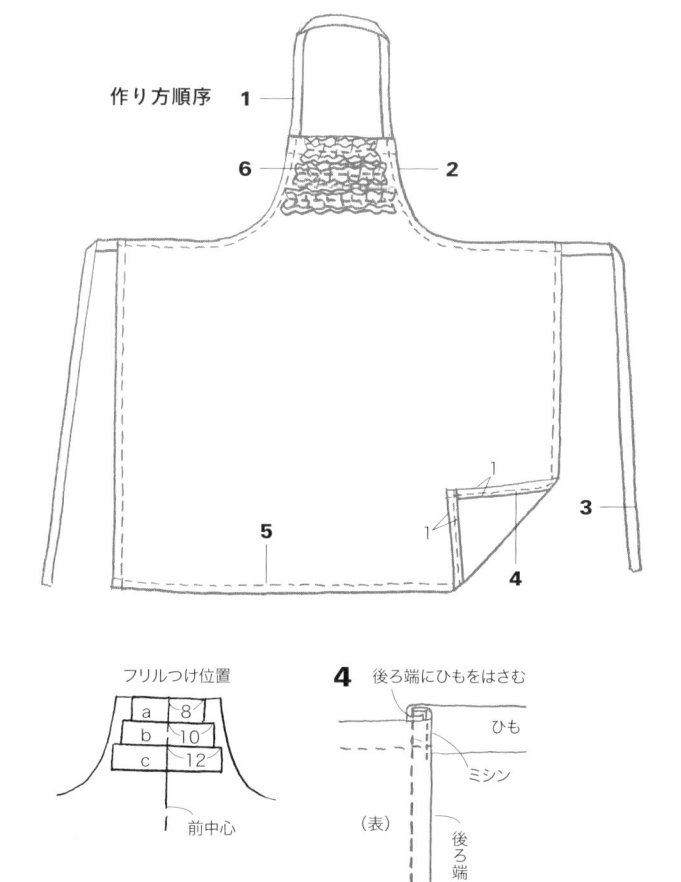

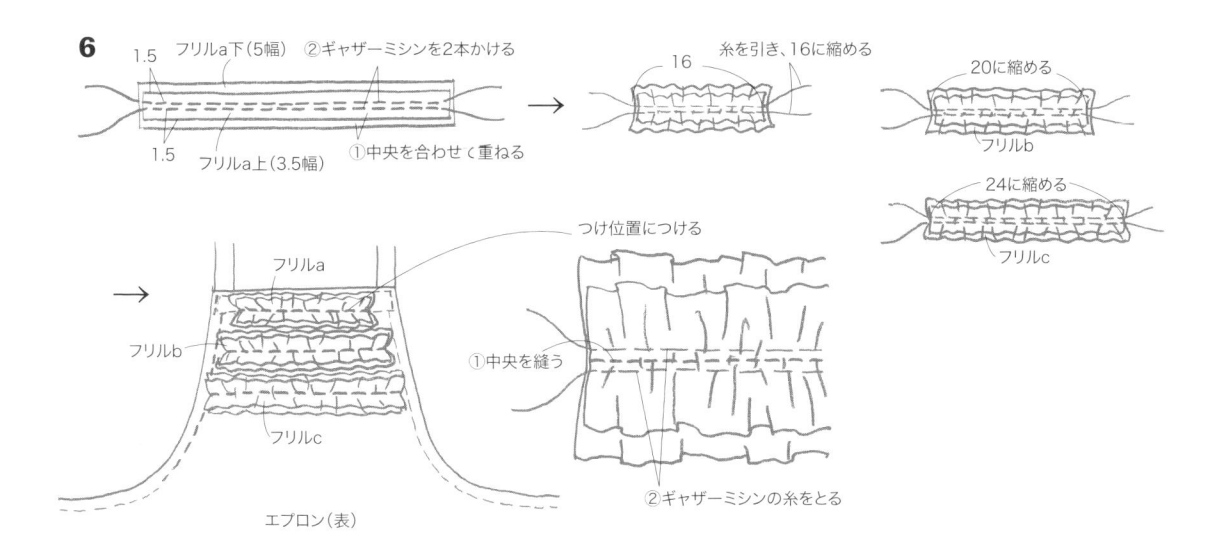

26 まっすぐチュニック 口絵 ＊ Page.58
straight tunic

＊ 材料
布[コットンウール混紡ニット地]
……110cm幅 2m

＊ 準備
アイロンで衿ぐり、袖口、裾を二つ折りにする。衿ぐり、袖口、裾にジグザグミシンをかける

＊ 作り方
1　衿ぐりを二つ折りにして縫う
2　袖口を二つ折りにして縫う
3　脇を縫う(縫い代は2枚一緒にジグザグミシンをかけて片側に倒す)
4　スカートのウエストにギャザーを寄せ、身頃とスカートを縫い合わせる(縫い代は2枚一緒にジグザグミシンをかけて身頃側に倒す)
5　裾を二つ折りにして縫う

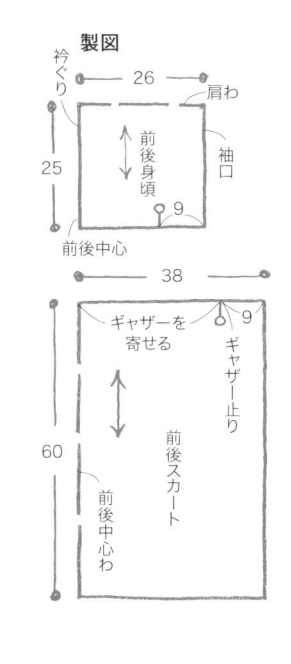

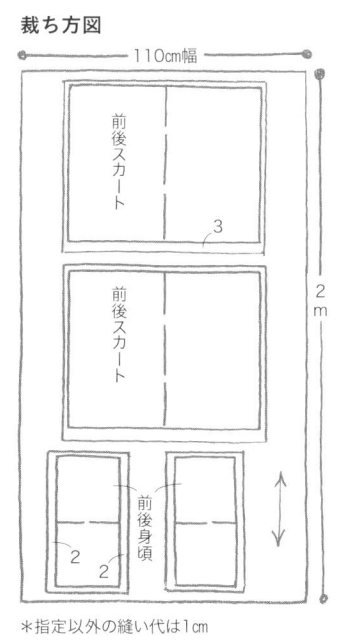

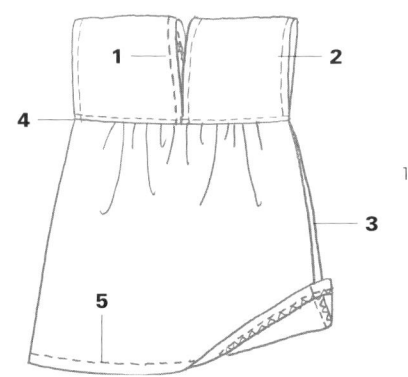

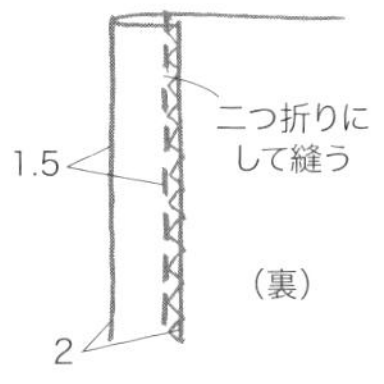

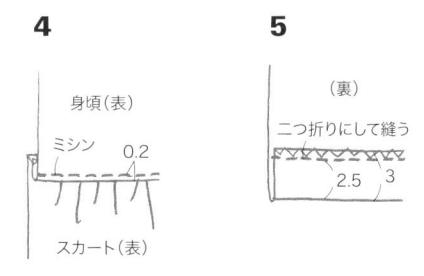

27 Tラインワンピース 口絵 * Page.60
T line one-piece dress

* **材料**
布[コットンリネンウール]
……126cm幅 2m

* **準備**
アイロンで衿ぐりを二つ折り、袖口、裾、ポケット口を三つ折りにする。
肩から衿ぐり、脇、袖のつけ側と袖下にジグザグミシンをかける

* **作り方**
1 ポケットを作り、つける
2 肩を縫う(縫い代は割る)
3 衿ぐりを二つ折りにして縫う(p.68参照)
4 袖をつける(縫い代は割る。p.68参照)
5 袖下を縫う(縫い代は割る。p.68参照)
6 脇を縫う(縫い代は割る。p.68参照)
7 袖口を三つ折りにして縫う
8 裾を三つ折りにして縫う

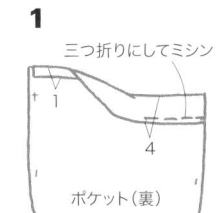

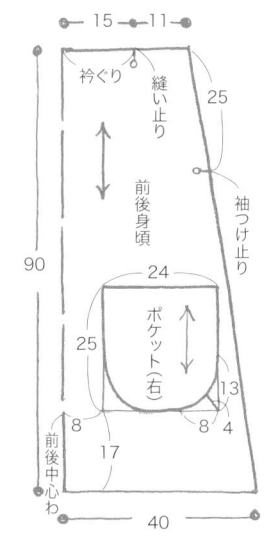

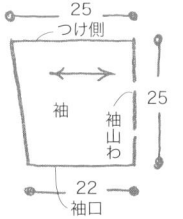

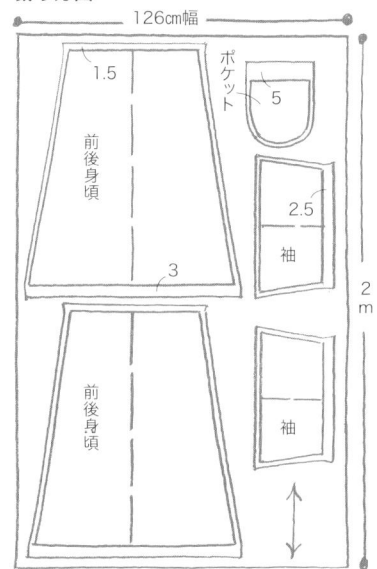

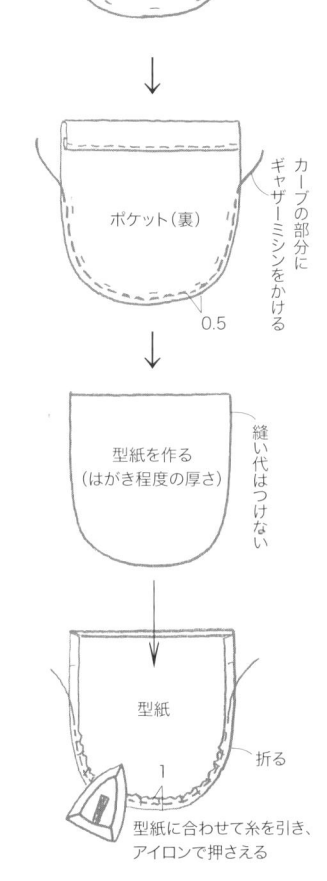

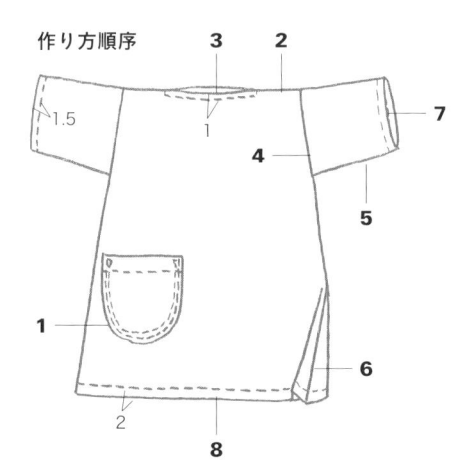

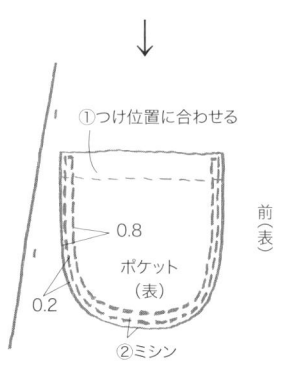

28 ギャザーチュニック 口絵 ＊ Page.62
gather tunic ▶

作り方順序

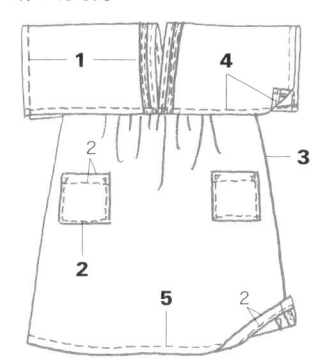

＊材料
布[コットンリネン]
……106cm幅 2.4m
バイアステープ
……18mm幅 1.2m

＊準備
アイロンで衿ぐり、袖口、裾、袖下のスリットを二つ折り、ポケット口を三つ折りにする。前後スカートの脇にジグザグミシンをかける

＊作り方
1　身頃の衿ぐり、袖口を三つ折りにして縫う。衿ぐりにバイアステープをつける
2　ポケットを作り、つける（p.65参照）
3　スカートにギャザーミシンをかけて脇を縫う（縫い代は割る）
4　スカートにギャザーを寄せて身頃と縫い合わせる（縫い代は2枚一緒にジグザグミシンをかけて身頃側に倒す）。スリットの端からもう一方の端まで続けてミシンをかける
5　裾を三つ折りにして縫う

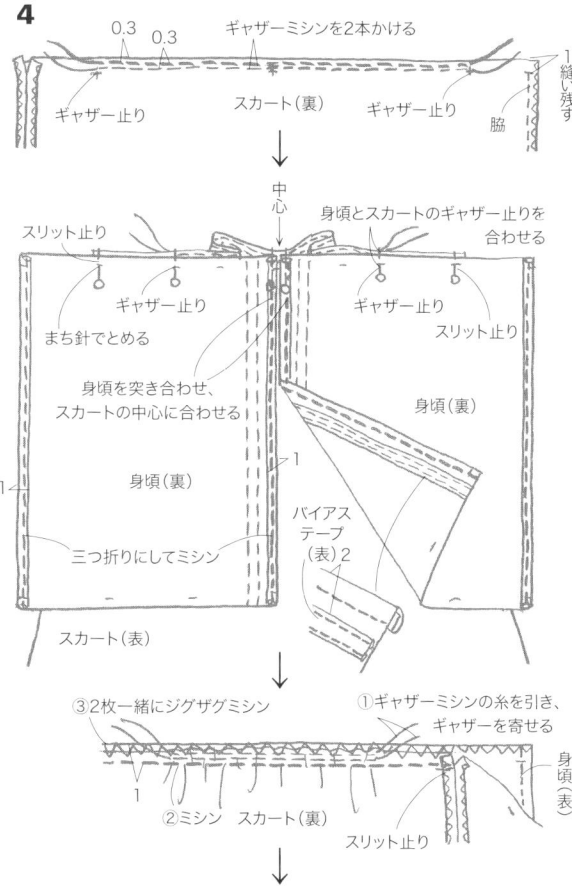

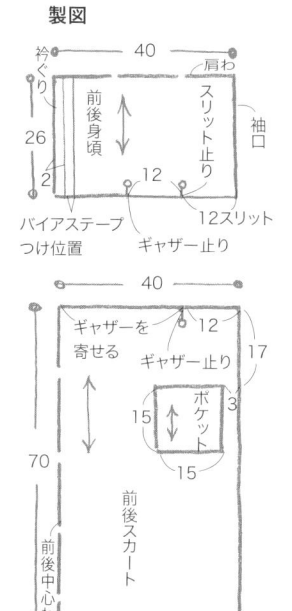

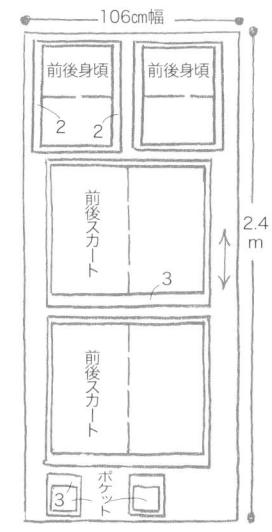

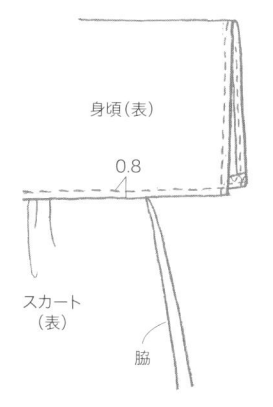

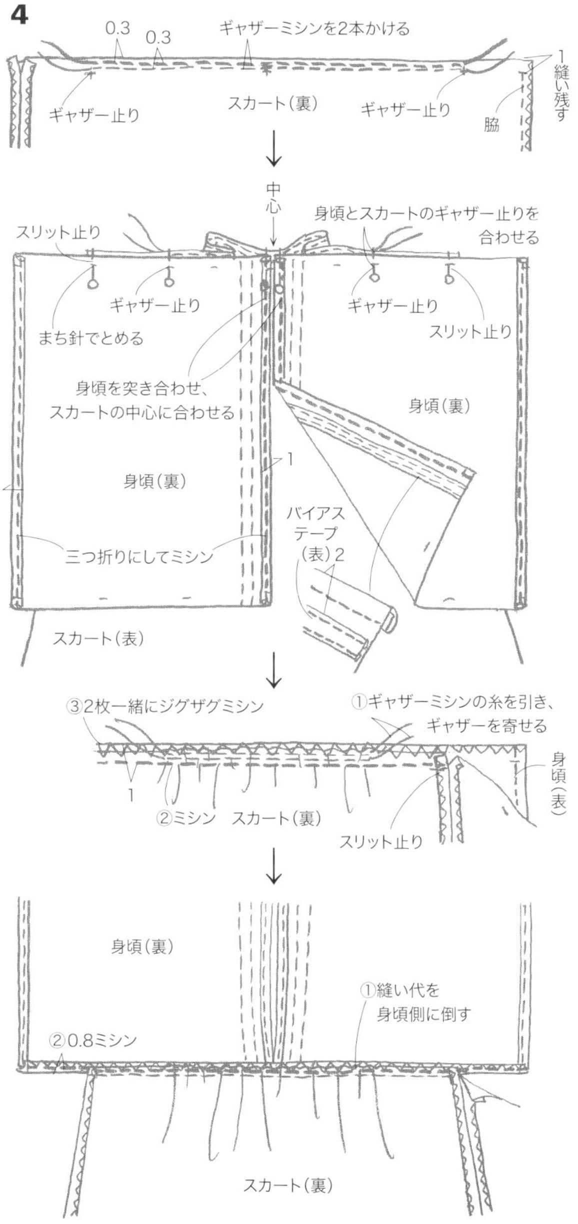

月居良子 ▶ つきおり よしこ

女子美術短期大学卒業。アパレル会社勤務などを経て
フリーのデザイナーに。
「シンプルなのに着ると立体的で美しい」と定評があり、
日本はもちろん、フランスや北欧にまでファンがいて人気を得ている。

生地提供 * **fabric-store** ──── tel.050-3538-4736　http://www.fabric-store.jp/
(p.06、10、12、18、20、22、26、28、30、32、34、36、40、42、44、46、48のストライプ、52、54、58、60、62)

撮影協力 * **WASH** 二子玉川ライズ店 ──── tel.03-3708-5170 (p.34の靴)
WASH 松坂屋名古屋店 ──── tel.052-264-2615 (p.52の靴)
Vlas Blomme 目黒店 ──── tel.03-5724-3719 (p.12、32のレギンス、p.52のパンツ、p.62のソックス)
evam eva ──── tel.03-5467-0180 (p.16のニット、p.18のタンクトップ、p.24、30のカットソー、
p.42、48のシャツ/evam eva、p.58のプルオーバー・パンツ、p.62のワンピース/evam eva vie)
cholon 東京店 ──── tel.03-3843-0203 (p.6のロングシャツ、p.14のカーディガン、カバー、p.16、28のパンツ、
p.18のパンツ、p.26のシャツ、p.36のカーディガン、p.42のスカート、p.50のブラウス)
D.M.G. ──── tel.03-3470-6510 (p.8、34、56のデニムパンツ)
Due passi per wash ルミネ横浜店 ──── tel.045-451-0821 (p.10、36の靴、22、44のサンダル)
naughty ──── tel.03-3793-5113 (p.14のパンツ)
pionero 国分寺店 ──── tel.042-328-0028 (p.42、50、60の靴)
フィラルフレア ──── tel.03-5775-6537 (p.60のパンツ)
plus by chausser ──── tel.03-3716-2983 (p.48、58、62の靴)
mAnchies ──── tel.03-3463-0623 (p.10、44のパンツ、p.12、18、26の靴、p.48のスカート)

アートディレクション ──── 昭原修三
レイアウト ──── 昭原デザインオフィス
撮影 ──── 三木麻奈
スタイリング ──── 荻津えみこ
モデル ──── Colliu
ヘア&メイク ──── 堀江里美
イラスト ──── 堀江かつ子
作り方原稿 ──── 黒川久美子、paolina
企画・構成・編集 ──── 堀江友惠
プロデュース ──── 高橋インターナショナル

月居良子の
かんたん、かわいい
まっすぐソーイング
エプロン&エプロンドレス

著　者　月居良子
発行者　髙橋秀雄
発行所　高橋書店
〒112-0013　東京都文京区音羽1-26-1
編集　tel.03-3943-4529　fax.03-3943-4047
販売　tel.03-3943-4525　fax.03-3943-6591
振替　00110-0-350650
http://www.takahashishoten.co.jp/
ISBN978-4-471-40078-1　©TSUKIORI Yoshiko Printed in Japan

定価はカバーに表示してあります。本書の内容を許可なく転載することを禁じます。また、本書の無断複写は著作権法上での例外を除き禁止されています。
本書のいかなる電子複製も購入者の私的使用を除き一切認められておりません。
造本には細心の注意を払っておりますが万一、本書にページの順序間違い・抜けなど物理的欠陥があった場合は、不良事実を確認後、お取り替えいたします。
下記までご連絡のうえ、小社へご返送ください。ただし、古書店等で購入・入手された商品の交換には一切応じません。
※本書についての問合せ　土日・祝日・年末年始を除く平日9:00～17:30にお願いいたします。
　　内容・不良品／tel.03-3943-4529(編集部)　在庫・ご注文／tel.03-3943-4525(販売部)